EXPRESSÕES IDIOMÁTICAS ILUSTRADAS

Sofia Rente

Para a Marion,

Usamos expressões
destas todo o
dia, a toda a
hora...
Abraço,   Isabel

LIDEL

Lidel – edições técnicas, lda

EDIÇÃO E DISTRIBUIÇÃO

Lidel – edições técnicas, lda

ESCRITÓRIO

Rua D. Estefânia, 183, r/c Dto. – 1049-057 Lisboa

Internet: 21 354 14 18 - livrarialx@lidel.pt

Revenda: 21 351 14 43 - revenda@lidel.pt

Formação/Marketing: 21 351 14 48 - formacao@lidel.pt/marketing@lidel.pt

Ens. Línguas/Exportação: 21 351 14 42 - depinternacional@lidel.pt

Linha de Autores: 21 351 14 49 - edicoesple@lidel.pt

Fax: 21 352 26 84

LIVRARIA

Avenida Praia da Vitória, 14 - 1000-247 Lisboa
Telef: 213 541 418 - Fax 213 173 259 - livrarialx@lidel.pt

Copyright © abril 2013
Lidel - Edições Técnicas, Lda.
ISBN 978-972-757-820-7

Conceção de layout: DPI Cromotipo

Paginação: DPI Cromotipo

Impressão e acabamento: Cafilesa - Soluções Gráficas, Lda. - Venda do Pinheiro

Depósito legal: 357737/13

Capa: José Manuel Reis

Ilustrações: Luis Prina

ÍNDICE

INTRODUÇÃO E AGRADECIMENTOS

As expressões idiomáticas são formas de expressão próprias de uma língua que refletem a sua riqueza, pois é através delas que se transmitem referências culturais de determinada comunidade linguística.

Através das frases feitas, um nativo consegue expressar uma certa realidade, de forma natural e inconsciente. O mesmo já não acontece com um estudante de uma língua estrangeira, para quem a apropriação deste tipo de expressões e correta utilização poderão revelar-se tarefa árdua, em particular para os que estão a dar os primeiros passos. Esta dificuldade reside, essencialmente, no facto de estas formas de expressão não poderem ser traduzidas de forma literal para outro idioma, pois o conjunto de palavras que as constituem forma uma unidade de sentido cujos elementos são indissociáveis.

Deste modo, a aprendizagem das expressões idiomáticas reveste-se de particular importância para os estudantes de uma língua estrangeira, pois é através da sua assimilação e utilização que estes revelam a sua proficiência linguística.

Com o objetivo de facilitar essa tarefa, reuniram-se, neste livro, 250 expressões idiomáticas, organizadas alfabeticamente, de modo a facilitar a sua localização. Para além da explicação clara e simples e do exemplo que permite observar o funcionamento destas frases em contexto real, todas elas são acompanhadas de uma ilustração humorística, que reproduz o significado literal da frase. Apresentou--se também a origem de algumas expressões, sempre que a mesma é conhecida, na tentativa de satisfazer o desejo dos que pretendem compreender como surgiram estas frases na nossa língua. Finalmente, incluíram-se outras expressões que podem ser usadas em contextos similares, ampliando-se assim o leque de frases à disposição do utilizador deste livro. Desta seleção constam as expressões mais conhecidas e usadas pela população portuguesa e órgãos de comunicação social em geral, mas também expressões regionais (Minho, Trás-os-Montes, Coimbra, Beiras, Alentejo, Algarve, Madeira e Açores) e de alguns países que compõem a CPLP (Comunidade de Países de Língua Portuguesa), nomeadamente Angola e Brasil, numa tentativa de dar voz a toda a diversidade cultural do mundo lusófono.

Embora este livro tenha sido criado com o propósito de auxiliar os estudantes de PLE que pretendem, de uma forma mais autónoma, aplicar as expressões idiomáticas num contexto quotidiano, e todos os professores e formadores de Português Língua Estrangeira, que encontrarão aqui mais uma ferramenta para a sua prática letiva, acreditamos que, pela temática abordada, poderá, igualmente, ser consultado por todos os falantes nativos, curiosos e interessados pela língua portuguesa.

A recolha das expressões foi facilitada graças a uma bibliografia rica e diversificada nesta área, nomeadamente através dos trabalhos de António Nogueira Santos e Orlando Neves, mas também à participação de alguns amigos que tiveram a disponibilidade e gentileza de contribuir para a riqueza do resultado final. Nessa medida, transmite-se um especial agradecimento a Elsa Rego e Susana Martins.

APRESENTAÇÃO DO LIVRO

Neste livro reúnem-se 250 expressões idiomáticas que se encontram organizadas por ordem alfabética, de modo a permitir a sua localização mais rápida. A consulta do índice, nas páginas 3 a 5, poderá facilitar a localização do número da página em que se encontra a expressão que se pretende analisar.

Em cada página apresentam-se duas expressões idiomáticas, sendo que para cada uma delas é possível encontrar as seguintes informações:

A explicação simples e clara do significado da expressão idiomática.

METER O NARIZ ONDE NÃO É CHAMADO

Intrometer-se em assuntos alheios.

Quando a Rita e a irmã se chatearam, o Pedro quis acalmar os ânimos, mas ninguém gostou da sua atitude, pois já não é a primeira vez que mete o nariz onde não é chamado.

EXPRESSÕES IDÊNTICAS:

Dar beijos com a boca dos outros. [Açores]
Meter a colherada.
Meter a foice em seara alheia.
Meter o bedelho.
Ser abelhudo. [Alentejo]
Ser cheira-bufas. [Beira Litoral]

O exemplo que permite verificar a utilização da expressão em contexto real.

TER A BARRIGA A DAR HORAS

Sentir muita fome.

Comi uma salada ao almoço, por isso já tenho a barriga a dar horas.

EXPRESSÕES IDÊNTICAS:

Andar com o estômago nas costas.
Estar cheio de apitos.
Ter a foice picada. [Trás-os-Montes]
Ter um ratinho.
Ter uma roeza. [Madeira]

A informação sobre a origem da expressão, sempre que esta é conhecida.

CAIR NO CONTO DO VIGÁRIO

Ser enganado ou vigarizado.

Apesar de todos a avisarmos para ter cuidado com as vendas por telefone, a avó acabou por cair no conto do vigário e pagou uma fortuna por um serviço de chá de plástico.

ORIGEM:

Tratava-se de um tipo de burla do passado. Um grupo de indivíduos percorria várias povoações, apresentando-se como emissários do vigário que lhes havia confiado uma grande quantia de dinheiro, guardado num embrulho. Para seguirem viagem em segurança, os larápios pediam às suas vítimas que guardassem o embrulho num local seguro, em troca do qual deveriam receber algum dinheiro que lhes servisse de garantia.

EXPRESSÕES IDÊNTICAS:

Cair como um patinho.
Ir no carro das faias. [Açores]

Outras expressões idiomáticas que podem ser usadas no mesmo contexto, por terem significado idêntico.

SER UM AGARRADO

Ser muito poupado e sovina.

O namorado da Joana não lhe ofereceu nada no aniversário. Bem se vê que é um agarrado.

EXPRESSÕES IDÊNTICAS:

Cortar as unhas rentes.
Não dar sarna a cães.
Ser mão de vaca. [Brasil]
Ser somítico.
Ser sovina.
Ser um fomento. [Trás-os-Montes]
Ser um forreta.
Ser um pão duro. [Brasil]
Ser unhas de fome.

LAMBER AS BOTAS
[A ALGUÉM]

Ser adulador; ter atitude bajuladora.

O Hugo está sempre a lamber as botas ao chefe, para ver se é promovido.

EXPRESSÕES IDÊNTICAS:

Apaijar. [Trás-os-Montes]
Cortar jaca. [Brasil]
Dar graxa [a alguém].
Passar mel pelos beiços [de alguém].
Puxar o lustro.
Puxar o saco. [Brasil]

Ilustração divertida que reproduz o significado literal da frase idiomática.

ABRIR O JOGO

Dizer a verdade; revelar algo que se esconde.

Desde que abri o jogo com o António, sinto-me muito melhor. Não era possível continuar a dizer-lhe que cantava bem sempre que ele me pedia para lhe dar a minha opinião.

EXPRESSÃO IDÊNTICA:

Pôr as cartas na mesa.

ABRIR OS OLHOS
[A ALGUÉM]

Alertar ou advertir alguém para uma situação que ignora.

É importante que alguém abra os olhos ao Raul, pois é evidente que ele anda a gastar acima das suas possibilidades.

EXPRESSÕES IDÊNTICAS:

Olho os olhos [de alguém]. [Brasil]
Pôr [alguém] de atalaia.

ACORDAR COM OS PÉS FORA DA CAMA

Acordar maldisposto ou com mau humor.

Hoje pedi o carro ao meu pai de manhã, mas certamente ele acordou com os pés fora da cama. Nem me respondeu...

EXPRESSÕES IDÊNTICAS:

Acordar de rabo para o ar.
Amanhecer de chinelos trocados. [Brasil]

AINDA A PROCISSÃO VAI NO ADRO

Factos ou acontecimentos que se acredita serem apenas uma amostra do que irá acontecer.

A fábrica despediu vinte trabalhadores, mas parece que ainda a procissão vai no adro. O ambiente está muito pesado, pois ninguém sabe quem será o próximo a ser dispensado.

EXPRESSÕES IDÊNTICAS:

Ainda a missa não vai a santos.
Muita água ainda vai rolar. [Brasil]

ANDAR A DAR ÁGUA SEM CANECO

Estar a conversar, deixando pendente a realização de alguma tarefa.

Estive toda a tarde à espera que me atendessem nas Finanças, porque os funcionários andavam a dar água sem caneco.

EXPRESSÕES IDÊNTICAS:

Andar a vender baba.
Cozinhar o galo. [Brasil]

ANDAR A MONTE

Estar em fuga ou em paradeiro incerto.

O contabilista daquela firma anda a monte desde que descobriram que havia uma derrapagem nas contas do último ano.

ORIGEM:

"Até há poucas décadas, a maioria da população nacional vivia em aldeias e vilas [...]. Quando alguém tinha problemas com a justiça, abandonava os povoados e refugiava-se em montes ou matas, onde seria mais difícil a sua captura."

in *Nas Bocas do Mundo*, Planeta (com supressões)

EXPRESSÃO IDÊNTICA:

Sumir do mapa. [Brasil]

13

ANDAR A PISAR OVOS

Realizar uma tarefa de forma muito lenta.

É possível que o Rodrigues seja despedido, pois o chefe já reparou que, em vez de realizar as tarefas com rapidez, anda a pisar ovos e não despacha o serviço.

EXPRESSÕES IDÊNTICAS:

Andar a encher chouriços.
Andar a engonhar.
Andar a marcar passo.
Ceragonhar. [Alentejo]
Fazer ronha.

ANDAR ÀS ARANHAS

Sentir-se desorientado ou confuso, por não perceber nada de determinado assunto.

A Inês anda às aranhas com a matéria de Geometria Descritiva. Por este andar, vai reprovar no exame.

EXPRESSÕES IDÊNTICAS:

Andar à nora.
Andar aos papéis.
Estar a leste.
Ficar a nove. [Açores]

ANDAR COM A CABEÇA EM ÁGUA

Sentir um grande cansaço psicológico.

Estou a acabar a minha tese de doutoramento, por isso, ando com a cabeça em água.

EXPRESSÃO IDÊNTICA:

Ter os miolos em água.

ANDAR DE CANDEIAS ÀS AVESSAS

Estar chateado ou incompatibilizado com alguém.

O Martim e a Verónica andam de candeias às avessas, porque lhes saiu um prémio na lotaria e agora não querem dividir o dinheiro.

EXPRESSÕES IDÊNTICAS:

Andar à unha. [Alentejo]
Andar às turras.
Andar de cafiroto aceso. [Brasil]

ANDAR MOURO NA COSTA

Ter um pretendente amoroso.

A Luísa tem andado muito bem-disposta nos últimos dias. Deve andar mouro na costa!

ORIGEM:

Esta expressão poderá estar relacionada com os corsários do Norte de África que pirateavam as costas portuguesas para assaltar as caravelas. Por analogia, a expressão é hoje usada para referir aquele que pretende "roubar" o coração do seu amado.

ANDAR NAS BOCAS DO MUNDO

Ser motivo de conversa alheia, geralmente por razões pouco positivas.

A Mimi Fachada anda nas bocas do mundo desde que arranjou um namorado vinte anos mais novo do que ela.

EXPRESSÕES IDÊNTICAS:

Andar de boca em boca.
Estar na berlinda.

ANDAR PELAS RUAS DA AMARGURA

Viver uma situação difícil; ter perdido o crédito; estar mal conceituado.

Desde que se soube que o presidente da firma "Tudo às claras" desviou fundos para negócios ilícitos, a empresa anda pelas ruas da amargura. Será difícil voltar a ganhar a confiança dos investidores.

ORIGEM:

Esta expressão, de origem religiosa, reporta-se ao episódio bíblico da paixão de Cristo, mais concretamente à Via Sacra que este teve de percorrer, carregando a cruz em que seria cruxificado, em grande sofrimento.

EXPRESSÃO IDÊNTICA:

Andar com a borda debaixo de água. [Beira Litoral]

APANHAR [ALGUÉM] COM A BOCA NA BOTIJA

Apanhar alguém em flagrante.

Quando os polícias chegaram à ourivesaria, apanharam os ladrões com a boca na botija.

EXPRESSÕES IDÊNTICAS:

Apanhar na canadinha. [Açores]
Pegar na tampinha. [Brasil]

APERTAR OS CORDÕES À BOLSA

Poupar; fazer contenção de despesas.

Os meus pais estão sempre a dizer-me que é preciso apertar os cordões à bolsa, tendo em conta o clima de crise que se vive.

EXPRESSÕES IDÊNTICAS:

Apertar o cinto.
Fazer um pé de meia.

ARRANJAR UM TRINTA E UM

Criar um problema ou confusão.

Esqueci-me de pagar a conta da eletricidade e agora arranjei um trinta e um! Quando cheguei a casa, ontem à tarde, já me tinham cortado a luz!

ORIGEM:

Esta expressão terá, provavelmente, a sua origem num jogo de cartas, com o mesmo nome. Cada jogador pede as cartas necessárias para perfazer um total de 31 pontos e se exceder esta pontuação, perde. Por se tratar de um jogo, é normal haver confusão e muito barulho entre os participantes.

EXPRESSÕES IDÊNTICAS:

Armar um pé de vento.
Rodar a baiana. [Brasil]

ARRASTAR A ASA [A ALGUÉM]

Tentar conquistar alguém, mostrando o seu interesse.

O Manuel anda a arrastar a asa à Conceição, mas não vai ter muita sorte. Ela já me disse que não o suporta.

ORIGEM:

Esta expressão tem a sua origem nos rituais de acasalamento de algumas espécies de aves, cujo macho arrasta a asa perante a fêmea, a fim de conquistá-la.

EXPRESSÕES IDÊNTICAS:

Dar mole para [alguém]. [Brasil]
Fazer olhinhos.
Fazer pé de alferes.

ATIRAR AREIA PARA OS OLHOS [A ALGUÉM]

Enganar ou ludibriar alguém, abusando da sua ingenuidade.

Não é correto que continuem a atirar areia para os olhos aos meus tios. Embora a agência de viagens assegurasse que lhes iam devolver o dinheiro do cruzeiro, eles ainda não receberam nada.

EXPRESSÕES IDÊNTICAS:

Comer as papas na cabeça [a alguém].
Deitar poeira nos olhos [a alguém].
Fazer o ninho atrás da orelha [a alguém].
Meter os dedos pelos olhos [a alguém].
Meter papas na boca [a alguém]. [Madeira]
Passar a perna [a alguém].

ATIRAR O BARRO À PAREDE

Tentar alcançar o que se pretende, ainda que com pouca convicção.

Não estava muito convencido de que os meus pais me deixassem ir ao Festival de Paredes de Coura. Como não tinha nada a perder, decidi atirar o barro à parede. E não é que eles, para meu espanto, não puseram quaisquer problemas.

EXPRESSÕES IDÊNTICAS:

A ver se pega.
Apalpar terreno.
Lançar um balão de ensaio.
Ver que bicho dá. [Brasil]

BAIXAR A BOLA

Acalmar-se; sujeitar-se à vontade de alguém.

O Arnaldo tem de aprender a baixar a bola se quiser manter o emprego. É muito arrogante!

EXPRESSÕES IDÊNTICAS:

Abaixar a barba. [Açores]
Amarrar o génio. [Açores]
Baixar a grimpa.
Meter a viola no saco.

BEBER POUCO CHÁ EM CRIANÇA

Não ter maneiras ou ser mal-educado; mostrar falta de cortesia.

O marido da Catarina é tão grosseiro, passa o tempo todo a dizer palavrões... Vê-se que bebeu pouco chá em criança.

ORIGEM:

Esta expressão é utilizada pelo facto de o consumo do chá, bebida originária da China, ter estado inicialmente associado a rituais e outros costumes sociais típicos das classes mais privilegiadas.

EXPRESSÕES IDÊNTICAS:

Não ter tomado chá em criança.
Puxar o pé para o tamanco.
Ser boçal.
Ser casca-grossa. [Açores]
Ter falta de chá.

BOFETADA DE LUVA BRANCA

Responder a uma ofensa subtilmente e com elegância, mas de forma certeira.

O Santiago foi despedido, porque o consideravam incompetente. Quando se soube, há uma semana, que tinha sido contratado pela maior empresa concorrente do país, a administração levou uma bofetada de luva branca.

ORIGEM:

No tempo em que as questões de honra entre cavalheiros se resolviam em duelos, dar uma bofetada de luva branca era a forma de se desafiar alguém para esse confronto.

EXPRESSÕES IDÊNTICAS:

Bofetada com luvas de pelica.
Bofetada sem mão.

BRINCAR COM O FOGO

Ser irresponsável; colocar-se em situação de risco.

Os automobilistas que conduzem a grandes velocidades são irresponsáveis. Brincam com o fogo, colocando em perigo a vida dos outros.

EXPRESSÕES IDÊNTICAS:

Brincar com a pólvora.
Cutucar a onça com vara curta. [Brasil]
Meter a mão em cumbuca. [Brasil]
Meter-se num vespeiro.

CAIR COMO SOPA NO MEL

Situação muito conveniente ou desejada.

O cancelamento do espetáculo caiu como sopa no mel, pois como fiquei doente não ia poder ir de qualquer modo.

ORIGEM:

Embora a associação destes alimentos pareça estranha, importa lembrar que o vocábulo "sopa", do gótico "suppa", significa também um pedaço de pão embebido em caldo ou noutro líquido.

EXPRESSÕES IDÊNTICAS:

Calhar a desbancar. [Açores]
Calhar que nem ginjas.
Calhar que nem pau em casca. [Alentejo]
Ser ouro sobre azul.

CAIR EM SACO ROTO

Não ser ouvido; não se produzir o efeito desejado.

É uma pena que as propagandas da reciclagem caiam em saco roto. Era importante que as pessoas tivessem uma maior consciência ecológica.

EXPRESSÃO IDÊNTICA:

Acabar em pizza. [Brasil]

CAIR NO CONTO DO VIGÁRIO

Ser enganado ou vigarizado.

Apesar de todos a avisarmos para ter cuidado com as vendas por telefone, a avó acabou por cair no conto do vigário e pagou uma fortuna por um serviço de chá de plástico.

ORIGEM:

Tratava-se de um tipo de burla do passado. Um grupo de indivíduos percorria várias povoações, apresentando-se como emissários do vigário que lhes havia confiado uma grande quantia de dinheiro, guardado num embrulho. Para seguirem viagem em segurança, os larápios pediam às suas vítimas que guardassem o embrulho num local seguro, em troca do qual deveriam receber algum dinheiro que lhes servisse de garantia.

EXPRESSÕES IDÊNTICAS:

Cair como um patinho.
Ir no carro das faias. [Açores]

CAIR OS PARENTES NA LAMA [A ALGUÉM]

Expressão utilizada para referir alguém que, por se julgar superior, se recusa a realizar determinadas tarefas.

Nós pedimos ao Filipe para nos ajudar a pintar a nossa casa, mas ele não apareceu. Deve ter medo que lhe caiam os parentes na lama.

CAVALO DE BATALHA

Insistir num determinado argumento, por se julgar valioso.

Garantir os direitos de proteção da paternidade vai ser cavalo de batalha do sindicato dos trabalhadores da função pública durante o próximo ano.

ORIGEM:

Tradução da expressão francesa "cheval de guerre", que referia o cavalo mais vistoso, que era ornamentado pelos nobres, a fim de se destacar em relação aos outros animais.

CAVAR A PRÓPRIA SEPULTURA

Arranjar problemas sérios para si próprio.

A minha irmã estava a conseguir superar o vício do jogo, mas este mês já foi duas vezes ao casino. Já lhe disse que está a cavar a própria sepultura.

EXPRESSÕES IDÊNTICAS:

Arranjar lenha para se queimar.
Arrumar sarna para se coçar. [Brasil]
Enterrar-se.

CHAMAR O GREGÓRIO

Vomitar.

Ontem comi qualquer coisa estragada e passei a noite a chamar o Gregório.

EXPRESSÕES IDÊNTICAS:

Botar as tripas pela boca fora. [Açores]
Deitar a carga ao mar.
Destripar o mico. [Brasil]

CHEGAR A BRASA À SUA SARDINHA

Zelar pelos seus próprios interesses.

A Clara está sempre a dizer que Guimarães é a melhor cidade para se viver, enquanto que o Afonso diz que em Braga se tem melhor qualidade de vida. Cada um chega a brasa à sua sardinha!

ORIGEM:

Parece que esta expressão tem origem na Andaluzia, Espanha, onde os homens que trabalhavam nos campos eram pagos com sardinhas. Por esta razão, era habitual haver disputas à volta da fogueira, pois só com umas boas brasas os trabalhadores podiam fazer a sua refeição.

EXPRESSÕES IDÊNTICAS:

Levar a água ao seu moinho.
Pescar para o seu samburá. [Brasil]

CHEIRAR A ESTURRO [A ALGUÉM]

Estar desconfiado em relação a alguma situação que não inspira confiança.

Quando o Raul me ofereceu um ramo de flores, cheirou-me a esturro. Mais tarde percebi porquê: tinha perdido os bilhetes para a peça de teatro.

EXPRESSÕES IDÊNTICAS:

Apanhar o pião à unha. [Açores]
Cheirar a chamusco [a alguém].
Não cheirar bem o estrugido [a alguém].

CHICO-ESPERTO

Aquele que contorna o sistema e que se orgulha disso; pessoa que prejudica os outros, em função dos seus próprios interesses.

Ontem, estava na fila para comprar os bilhetes para o jardim zoológico, quando um chico-esperto tentou passar à nossa frente. Teve azar, porque levou logo uma desanda.

EXPRESSÃO IDÊNTICA:

Rato-de-canavieira. [Açores]

CHORAR BABA E RANHO

Chorar muito.

O Toni chorou baba e ranho quando soube que o Andorinhas Futebol Clube tinha perdido o jogo da final com o Desportivo da Serra.

EXPRESSÕES IDÊNTICAS:

Chorar as pitangas. [Brasil]
Chorar como um bezerro.
Chorar como uma Madalena.
Desfazer-se em lágrimas.

CHORAR DE BARRIGA CHEIA

Queixar-se ou lamentar-se sem ter motivos para isso.

Os pais da Ana queixam-se dela, mas choram de barriga cheia. Ela é uma miúda bem-comportada e uma aluna exemplar.

CHORAR LÁGRIMAS DE CROCODILO

Chorar falsamente, sem vontade, fingindo sofrimento.

A Tânia gosta de chorar lágrimas de crocodilo, quando alguma coisa corre mal. Pensa que desse modo terá sempre a proteção do chefe.

ORIGEM:

Esta expressão baseia-se no exemplo do crocodilo e das lágrimas que liberta enquanto come as suas presas. Quando se alimenta, há uma forte pressão no céu da boca do animal, o que estimula as suas glândulas lacrimais, criando-se então a impressão de que o réptil está a chorar.

EXPRESSÃO IDÊNTICA:

Chorar por um olho azeite e por outro vinagre.

CHORAR SOBRE O LEITE DERRAMADO

Arrepender-se de algo que já não tem solução.

A Vera está triste, porque reprovou no exame de Língua Portuguesa. Agora não adianta chorar sobre o leite derramado.

EXPRESSÕES IDÊNTICAS:

Chorar a morte da bezerra.
Chorar malaguetas curtidas. [Açores]
Tirar leite de uma vaca morta.

CHOVER A CÂNTAROS

Chover muito, de forma violenta.

Ontem o jogo foi cancelado, porque começou a chover a cântaros.

EXPRESSÕES IDÊNTICAS:

Cair uma carga de água.
Chover a potes.
Chover canivetes.
Chover picaretas.
Descascabulhar. [Alentejo]

CHOVER NO MOLHADO

Perder tempo por se insistir em determinado assunto ou dizer algo que já é do conhecimento de todos.

Eu não quero chover no molhado, mas acho que já te disse que fumar te faz mal.

EXPRESSÕES IDÊNTICAS:

Bater na mesma tecla.
Bater no ceguinho.

COM UMA MÃO À FRENTE E OUTRA ATRÁS

Ficar sem dinheiro ou sem nada.

A minha cunhada convenceu-me a ir ao casino, disse-me que ia ganhar muito dinheiro. Nunca mais lá volto, pois vim com uma mão à frente e outra atrás.

EXPRESSÃO IDÊNTICA:

De mãos a abanar.

COM UMA PERNA ÀS COSTAS

Com muita facilidade.

O Luís fez o exame de PLE com uma perna às costas. Como tinha estudado muito, acha que vai tirar boa nota.

EXPRESSÃO IDÊNTICA:

De olhos fechados.

COM UNHAS E DENTES

Fazer algo com empenho e persistência.

A Graça gosta muito do irmão mais novo e defende-o com unhas e dentes.

COMER COMO UM ABADE

Comer de forma exagerada.

Na festa de aniversário do meu sogro, comi como um abade. Desde essa altura que ando a fazer dieta.

ORIGEM:

"Se bem que seja de supor que os clérigos devessem levar uma vida frugal e regrada, [...] os antigos párocos da província [...] tinham fama de comer manifestamente bem."

in *Nas Bocas do Mundo*, Planeta (com supressões)

EXPRESSÕES IDÊNTICAS:

Comer a desbancar. [Açores]
Comer à tripa-forra.
Comer como um alarve.
Comer como um boi.
Empanzinar. [Algarve]

COMER MUITO QUEIJO

Ser muito esquecido.

A Rita esqueceu-se do aniversário da mãe.
Ela come muito queijo, nunca se lembra de nada.

ORIGEM:

Em tempos antigos, existia uma crença popular que associava o consumo de laticínios à diminuição de faculdades mentais, nomeadamente a perda de memória.

EXPRESSÕES IDÊNTICAS:

Ser cabeça no ar.
Ser despistado.
Ter cabeça de alho chocho.
Ter memória de grilo.

COMER O PÃO
QUE O DIABO AMASSOU

Passar por muitas dificuldades.

A minha filha comeu o pão que o diabo amassou no último emprego. Os colegas eram muito competitivos e o chefe perseguia-a constantemente.

EXPRESSÕES IDÊNTICAS:

Matar cachorro a grito. [Brasil]
Passar as passas do Algarve.
Passar lamba. [Brasil]
Passar macaréus. [Açores]
Roer tampa de penico. [Brasil]

COMO SARDINHA EM LATA

Local com muita gente, onde as pessoas, pela falta de espaço, ficam apertadas, umas contra as outras.

O meu marido e eu fomos à apresentação do champô que promete fazer crescer cabelo aos carecas. Havia tanta gente que estivemos como sardinha em lata!

CONHECER [ALGUÉM] COMO A PALMA DA MÃO

Conhecer alguém muito bem.

A professora conhece os seus alunos como a palma da mão.

EXPRESSÃO IDÊNTICA:

Conhecer [alguém] de ginjeira.

CONTAR COM O OVO NO CU DA GALINHA

Tomar como certo algo que ainda não aconteceu; festejar antes do tempo.

Embora a equipa do Filipe contasse ganhar o torneio de andebol, o treinador achou melhor não contar com o ovo no cu da galinha.

EXPRESSÕES IDÊNTICAS:

Afiar o bico ao chacho. [Alentejo]
Deitar foguetes antes da festa.
Vender o azeite antes das oliveiras plantadas.

CORRER SOBRE RODAS

Correr muito bem.

Desde que o Sr. António mudou de emprego que tudo corre sobre rodas. Até parece que está dez anos mais novo...

EXPRESSÕES IDÊNTICAS:

Correr às mil maravilhas.
Ir de vento em popa.

CORTAR AS PERNAS [A ALGUÉM]

Limitar a atuação de alguém, não lhe dando liberdade de ação.

O criativo não foi bem-sucedido naquela agência de publicidade, porque lhe cortaram as pernas e, assim, era difícil atingir os resultados desejados.

EXPRESSÃO IDÊNTICA:

Cortar as asas [a alguém].

CORTAR NA CASACA [DE ALGUÉM]

Criticar ou falar mal de alguém que não está presente.

A Vânia e a Clara, quando se juntam, são capazes de passar horas a cortar na casaca de toda a gente. Já lhes disse que assim vou deixar de tomar café com elas.

EXPRESSÕES IDÊNTICAS:

Bilhardar. [Madeira]
Cortar na pele [de alguém].
Dar ao facho. [Trás-os-Montes]
Dizer tejos e bandejas. [Açores]
Morder nas canelas [de alguém].

CUSPIR PARA O AR

Orgulhar-se; gabar-se; vangloriar-se.

A Rosa está sempre a dizer que detesta o Facebook e que nunca vai criar uma página pessoal, mas eu já a avisei para não cuspir para o ar. Geralmente, os que se mostram muito radicais, são os primeiros a mudar de ideias.

EXPRESSÕES IDÊNTICAS:

Arrotar postas de pescada.
Cantar de galo.
Comer galinha e arrotar peru.

CUSTAR OS OLHOS DA CARA

Ser muito caro, dispendioso.

Os sapatos que comprei ontem no centro comercial custaram os olhos da cara.

ORIGEM:

Expressão com origem numa tradição bárbara, em que se arrancavam os olhos aos prisioneiros de guerra, governantes depostos ou outras figuras que, pela sua influência, constituíam uma ameaça ao poder. Tratava-se, portanto, de um castigo severo, um preço excessivo a pagar.

EXPRESSÕES IDÊNTICAS:

Custar os dentes da boca.
Estar pela hora da morte.
Levar couro e cabelo.
Ser um balúrdio.

DANÇAR NA CORDA BAMBA

Encontrar-se numa situação instável; estar permanentemente em perigo.

O gestor do banco tem sido pouco profissional. Se continua a dançar na corda bamba, ainda vai ser despedido.

EXPRESSÃO IDÊNTICA:

Balhar a campoiana. [Açores]

DAR À LÍNGUA

Falar muito; conversar animadamente.

Já não via a Cristina há tanto tempo, que ficámos a dar à língua no café durante toda a tarde.

EXPRESSÕES IDÊNTICAS:

Bater um papo. [Brasil]
Dar ao chocalho.
Dar ao zangarro. [Alentejo]
Desenferrujar a língua.
Pôr a escrita em dia.

DAR A MOSCA [A ALGUÉM]

Acesso repentino de mau humor.

A Dora é um bocado estranha. Estávamos a tomar café, na semana passada, quando de repente lhe deu a mosca e foi-se embora.

EXPRESSÕES IDÊNTICAS:

Amofinar-se. [Brasil]
Dar-lhe o amoque.
Estar com a telha.

DAR A VOLTA DOS TRISTES

Percurso ou passeio que se dá vezes sem conta por não haver nada melhor para fazer.

Os meus pais não estão em casa. Como hoje é domingo, foram com os meus tios dar a volta dos tristes.

DAR [ALGO] DE MÃO BEIJADA [A ALGUÉM]

Oferecer alguma coisa a alguém de forma gratuita e espontânea, sem que essa pessoa se tenha esforçado para tal ou sem esperar qualquer retribuição.

O debate foi bastante monótono, porque o líder da oposição estava visivelmente cansado e acabou por dar de mão beijada o tempo de antena ao Primeiro-Ministro.

ORIGEM:

Na Idade Média, os súbditos e fiéis, antes de fazerem as suas ofertas ao rei ou ao papa, beijavam-lhes a mão em sinal de respeito.

EXPRESSÃO IDÊNTICA:

Dar de bandeja.

39

DAR COM A CABEÇA NAS PAREDES

Cometer erros ou estar desorientado.

Estou cansada de avisar o Rui para ser mais responsável, mas ele está sempre a dar com a cabeça nas paredes. Ontem teve um acidente, porque estava a falar ao telemóvel enquanto conduzia.

DAR COM A LÍNGUA NOS DENTES

Cometer uma inconfidência, de forma irrefletida; revelar um segredo.

Estou bastante incomodada com o que se passou ontem. Estava tão descontraída a conversar com o Pedro que nem me lembrei que a Sara não o tinha convidado para a festa de anos e, sem querer, dei com a língua nos dentes.

EXPRESSÕES IDÊNTICAS:

Dar ao badalo.
Soltar a língua.

DAR CONTA DO RECADO

Ser capaz de executar uma tarefa com êxito.

Parece-me que podemos pedir à Andreia para apresentar o trabalho de grupo. Tenho a certeza de que ela dará conta do recado.

DAR CONVERSA FIADA

Conversar sobre assuntos banais, para passar o tempo.

A contabilista da Áurea é muito faladora. Ontem à tarde fui lá entregar os impressos preenchidos e estivemos a dar conversa fiada. Quando reparei, já eram horas de jantar.

EXPRESSÕES IDÊNTICAS:

Boldreguice. [Trás-os-Montes]
Estar na amena cavaqueira.
Fazer farelo. [Açores]

DAR MUITA BANDEIRA

Chamar a atenção dos outros quando se pretendia passar despercebido.

O Joel deu muita bandeira e a Sónia percebeu que estamos a preparar uma surpresa para o aniversário dela.

EXPRESSÃO IDÊNTICA:

Dar nas vistas.

DAR O ARROZ [A ALGUÉM]

Dar uma tareia ou ralhete; castigar alguém.

Ontem parti a jarra de flores preferida da minha mãe. Embora eu tivesse dito que tinha sido o cão, ela não foi na conversa e deu-me o arroz.

EXPRESSÕES IDÊNTICAS:

Chegar a roupa ao pelo [a alguém].
Passar um bode [a alguém].

DAR O BERRO

Avariar, deixar de funcionar.

A minha televisão deu o berro ontem à noite. Foi muito chato, porque estávamos a assistir à final do torneio de ténis, o Estoril Open.

EXPRESSÃO IDÊNTICA:

Pifar.

DAR O BRAÇO A TORCER

Deixar-se convencer; ceder; reconhecer que a outra pessoa tem razão.

Embora a Elisa teimasse em fazer o exercício daquela maneira, acabou por dar o braço a torcer, pois percebeu que assim nunca ia chegar ao resultado correto.

ORIGEM:

É provável que esta expressão remonte aos tempos da Inquisição, época em que a perseguição e a tortura eram métodos utilizados pelo Santo Ofício, com o objetivo de confirmar a culpa dos acusados.

EXPRESSÃO IDÊNTICA:

Dar a mão à palmatória.

DAR O GOLPE DO BAÚ

Casar com alguém por interesse económico.

Diz-se que a Tita casou com o Vítor para dar o golpe do baú. É um comentário um pouco maldoso, mas tendo em conta que ela estava falida, temos de reconhecer que a fortuna dele é bastante apetecível.

DAR O LITRO

Fazer todos os esforços possíveis para ultrapassar um obstáculo ou alcançar um objetivo.

O Artur deu o litro para que o projeto das alterações da casa dele fosse aprovado pela Câmara.

EXPRESSÕES IDÊNTICAS:

Fazer das tripas coração.
Fazer os possíveis e os impossíveis.

DAR O NÓ

Ação de casar ou de ir viver com o companheiro.

A Corina e o Tiago finalmente conseguiram comprar casa, por isso vão dar o nó ainda este ano.

EXPRESSÕES IDÊNTICAS:

Juntar os trapinhos.
Trelar os bigodes. [Brasil]

DAR PANO PARA MANGAS

Situação que dá muito trabalho; assunto que dá muito que falar.

O tema que escolhi para o meu trabalho é muito interessante, mas vai dar pano para mangas. Já fiz várias pesquisas e a bibliografia nunca mais acaba.

ORIGEM:

É possível que esta expressão se reporte à altura em que era habitual usarem-se, por baixo dos casacos, camisas sem mangas, já que o pano era caro e, por isso, não era acessível a todos. Deste modo, apenas aqueles que possuíam mais dinheiro podiam mandar fazer camisas com mangas... As mangas passaram a ser, assim, sinónimo de abundância.

EXPRESSÕES IDÊNTICAS:

Dar água pela barba.

DAR PARA O TORTO

Situação que corre mal.

Todos os planos que tínhamos para as férias de verão deram para o torto: as nossas malas desapareceram no aeroporto, tivemos um acidente com o carro que tínhamos alugado e, quando finalmente conseguimos chegar ao hotel, percebemos que tinham feito a reserva do nosso quarto numa semana diferente...

EXPRESSÃO IDÊNTICA:

Dar bode. [Brasil]

DAR PÉROLAS A PORCOS

Dar algo valioso a quem não o merece ou não o sabe apreciar.

A Maria e o José tiveram tanto trabalho a preparar entradas sofisticadas para o jantar de aniversário do Rodrigo e ninguém comeu nada. Acho que não deviam ter perdido tempo a dar pérolas a porcos.

ORIGEM:

Esta expressão tem origem bíblica e corresponde às palavras proferidas por Cristo aos seus discípulos, advertindo-os para que não gastassem as suas energias com aqueles que não mereciam esse esforço. ("Não deis aos cães as coisas santas, nem deiteis aos porcos as vossas pérolas, não aconteça que as pisem com os pés e, voltando-se, vos despedacem." - Mateus, VII:6)

EXPRESSÕES IDÊNTICAS:

Dar nozes a quem não tem dentes.
Pôr mel em boca de asno.

DAR UM TIRO NO PÉ

Fazer algo que, sem contarmos, nos prejudica.

A maior cadeia de supermercados portuguesa arrisca-se a dar um tiro no pé, pois prometeu um cabaz de compras a todos os clientes caso a Seleção de futebol ganhasse o Mundial e a equipa já está na final.

EXPRESSÕES IDÊNTICAS:

Ir buscar lã e vir tosquiado.
Rebentar a castanha na boca [a alguém].
Sair o tiro pela culatra [a alguém].
Tomar o bonde errado. [Brasil]

DE CORTAR À FACA

Expressão geralmente usada para descrever um ambiente mau, pesado, incómodo.

Estava num jantar de família em casa da Júlia e mal comecei a falar sobre política ficou um ambiente de cortar à faca. Só depois é que ela me disse que havia divergências partidárias entre o Paulo e o Miguel.

EXPRESSÕES IDÊNTICAS:

Cortar-se o ar à faca.
Não se ouvir uma mosca.

DE FIO A PAVIO

Descrição feita com todos os detalhes.

A Carla contou-me a viagem ao México de fio a pavio. Chegou ao ponto de me explicar pormenorizadamente o que é que comia ao pequeno-almoço, almoço e jantar.

EXPRESSÕES IDÊNTICAS:

Fazer fialho. [Açores]
Ponto por ponto.
Tintim por tintim.

DE PEDRA E CAL

Inflexível, firme.

O casamento da Beatriz e do Francisco está de pedra e cal. Vê-se que se dão mesmo muito bem.

EXPRESSÃO IDÊNTICA:

Para o que der e vier.

DEITAR ACHAS PARA A FOGUEIRA

Alimentar uma discussão ou um conflito.

Eu queria contar a verdade ao Manuel, mas, tendo em conta que a relação dele com o irmão já é complicada, é melhor não deitar mais achas para a fogueira.

EXPRESSÕES IDÊNTICAS:

Atiçar o fogo.
Deitar azeite no lume.

DEITAR-SE COM AS GALINHAS

Deitar-se muito cedo.

Esta semana temos andado com uma auditoria lá na empresa. Ando tão cansado que todas as noites me deito com as galinhas.

ORIGEM:

Esta expressão associa aqueles que têm o costume de se deitar cedo a esta ave, pois é sabido que para as galinhas porem ovos devem ser encerradas nos galinheiros muito cedo.

DEIXAR CAIR A MÁSCARA

Revelar as verdadeiras intenções; dar a conhecer o verdadeiro carácter.

O Bruno está a deixar cair a máscara. Era muito simpático com toda a gente quando entrou na empresa, mas, depois de ter passado a efetivo, tornou-se um palerma.

EXPRESSÃO IDÊNTICA:

Botar as unhas de fora. [Brasil]

DESCALÇAR A BOTA

Livrar-se de um problema ou situação complexa.

Desde que comprei este carro em segunda mão que me pergunto como é que vou descalçar a bota. Todos os dias tenho de ir ao mecânico e já gastei uma fortuna.

EXPRESSÃO IDÊNTICA:

Descascar o abacaxi. [Brasil]

DESCOBRIR A CARECA [A ALGUÉM]

Descobrir os defeitos de alguém; desmascarar alguém.

Este advogado parecia muito honesto, mas, felizmente, descobriram-lhe a careca a tempo. Parece que há dois anos foi condenado por ser cúmplice num caso de corrupção.

ORIGEM:

Àqueles que eram condenados à fogueira pela Santa Inquisição rapava-se-lhes o cabelo. Daí terá nascido a associação entre a careca e os que de algum modo têm defeitos ocultos.

EXPRESSÃO IDÊNTICA:

Descobrir os podres [a alguém].

DESPEDIR-SE À FRANCESA

Ir-se embora de uma festa sem se despedir de ninguém.

Aquilo que a Cátia fez, ontem à noite, no bar, foi bastante desagradável. Ainda por cima, já não é a primeira vez que ela se vai embora, despedindo-se à francesa.

ORIGEM:

Em França, no século XVIII, era habitual e bem visto que as pessoas se retirassem de uma festa ou de outro acontecimento social sem se despedirem dos restantes convidados e anfitriões. Considerava-se que, desse modo, se evitava incomodar os restantes convivas, interrompendo as suas conversas. Atualmente, este comportamento é considerado um ato de descortesia.

EXPRESSÕES IDÊNTICAS:

Sair à socapa.
Sair de fininho.

DIVIDIR O MAL PELAS ALDEIAS

Dividir tarefas complexas ou partilhar responsabilidades.

O João e os amigos partiram o vidro da casa do Sr. Pereira. Embora tenha sido o Rui a chutar a bola, decidiram dividir o mal pelas aldeias, uma vez que a responsabilidade era de todos.

DIZER DA BOCA PARA FORA

Dizer algo sem pensar ou sem intenção.

O meu filho prometeu que vai estudar mais, mas eu já o conheço. Geralmente, ele diz estas coisas da boca para fora.

DO PÉ PARA A MÃO

Inesperadamente, repentinamente.

A Carla e o Samuel decidiram vender a casa do pé para mão, porque apareceu alguém interessado que lhes fez uma oferta irrecusável.

EXPRESSÃO IDÊNTICA:

De golpe. [Brasil]

DORMIR À SOMBRA DA BANANEIRA

Deixar de se esforçar depois de ter alcançado algum triunfo ou êxito.

Tenho pena que alguns grupos de música portuguesa não tenham uma carreira mais duradoura. Geralmente, têm um grande êxito e depois ficam a dormir à sombra da bananeira.

EXPRESSÃO IDÊNTICA:

Dormir sobre os louros.

DORMIR COMO UMA PEDRA

Dormir profundamente e de modo tranquilo.

Hoje dormi como uma pedra. Houve um incêndio no meu prédio e não me apercebi de nada.

EXPRESSÕES IDÊNTICAS:

Dormir a sono solto.
Dormir como um porco.
Dormir o sono dos justos.

ELEFANTE BRANCO

Presente ou oferta com pouco valor ou utilidade e de manutenção dispendiosa.

A nova sala de espetáculos da cidade é um verdadeiro elefante branco. Foram investidos milhares de euros nesse projeto e agora este espaço nunca é utilizado.

ORIGEM:

No antigo Reino do Sião, atual Tailândia, quando o rei estava descontente com alguém da corte, oferecia--lhe um elefante branco, presente que, obviamente, não podia ser recusado. Como era considerado um animal sagrado, não podia ser usado para o trabalho, o que, aliado à sua manutenção dispendiosa, o tornava uma oferta sem qualquer utilidade.

EXPRESSÕES IDÊNTICAS:

Presente de grego.
Presente envenenado.

EM CIMA DO(S) JOELHO(S)

Fazer algo à pressa, com pouco cuidado, desmazeladamente.

O chefe percebeu que o relatório que pediu foi feito em cima do joelho. Mal começou a ler o documento, encontrou várias incoerências e ficou muito aborrecido.

EXPRESSÕES IDÊNTICAS:

À mata-mata. [Alentejo]
À ula-ula. [Alentejo]
Amarmalhar. [Beira Interior]

ENFIAR A CARAPUÇA

Sentir-se atingido por uma crítica genérica, não individualizada.

O Fernando enfureceu-se, quando o Sr. Manuel comunicou aos empregados que tinha desaparecido dinheiro da caixa. Embora este só estivesse a dar conta do ocorrido, parece que enfiou a carapuça.

ORIGEM:

A palavra *carapuça* tem origem castelhana e refere um barrete de forma cónica. A expressão remonta ao tempo da Inquisição, época em que os condenados eram obrigados a usar estes capuzes para comparecerem perante o tribunal do Santo Ofício.

EXPRESSÕES IDÊNTICAS:

Acusar o toque.
Enfiar o barrete.

ENGOLIR SAPOS

Ser obrigado a suportar algo desagradável, sem poder reagir.

A Raquel já está habituada a engolir sapos sempre que o chefe a chama. Deve ser por isso que ela começou a procurar um novo emprego.

ORIGEM:

É provável que esta expressão tenha a sua origem no texto bíblico, reportando-se especificamente à segunda das Dez Pragas do Egito, narradas no livro do Êxodo, em que se refere que Deus terá enviado uma invasão de milhares de rãs para castigar o Faraó egípcio e o seu povo.

ENQUANTO O DIABO ESFREGA UM OLHO

Muito depressa.

O Sr. Rodrigues arranjou-me o carro enquanto o diabo esfrega um olho. O conserto não ficou barato, mas valeu a pena, pois assim não tive de pedir a mota emprestada à Isabel.

ORIGEM:

Esta expressão relaciona-se com a crença católica, segundo a qual o diabo nunca se distrai, está sempre atento para levar os mais imprudentes para o Inferno. Pela natureza desta tarefa, não pode fechar os olhos, apenas esfregá-los rapidamente.

EXPRESSÃO IDÊNTICA:

Enquanto a galinha lambe a orelha. [Brasil]

ENSINAR O PAI-NOSSO AO VIGÁRIO

Ensinar algo a alguém que sabe mais ou que é especialista no assunto.

O Roberto queria explicar-me como é que se fazia a açorda alentejana. Só quando lhe disse que eu era de Serpa é que ele percebeu que estava a tentar ensinar o Pai-Nosso ao vigário.

EXPRESSÃO IDÊNTICA:

Já a formiga tem catarro.

ENTERRAR A UNHA

Aproveitar-se de alguém, ao cobrar por alguma coisa mais do que aquilo que ela vale.

Ontem, fui pôr os meus sapatos a arranjar. Até estou com medo de os ir buscar, porque o sapateiro gosta de enterrar a unha.

EXPRESSÕES IDÊNTICAS:

Abrir muito a boca.
Meter o gadanho.

ESTAR À MÃO DE SEMEAR

Muito próximo, a pouca distância.

Eu costumo tomar café naquela pastelaria à beira de minha casa. O sítio não é nada de especial, mas vou lá porque está à mão de semear.

ESTAR ÀS MOSCAS

Local abandonado, vazio ou com pouca gente.

Nós temos pena da Ivone, porque a loja que ela abriu está a ser um fiasco. Está sempre às moscas, nunca entra lá ninguém.

EXPRESSÃO IDÊNTICA:

Ter meia dúzia de gatos-pingados.

ESTAR COM A PULGA ATRÁS DA ORELHA

Estar desconfiado.

A professora está com a pulga atrás da orelha desde que corrigiu os testes do Júlio e da Cristiana e viu que as respostas que deram eram praticamente iguais.

EXPRESSÕES IDÊNTICAS:

Andar com o bicho no ouvido.
Andar com uma pedra no sapato.
Andar de alcateia. [Açores]
Estar de pé atrás.

ESTAR COM AS MÃOS NA MASSA

Estar a tratar de um assunto ou estar em condições de resolver um problema.

A Marisa ofereceu-se para fazer o inventário da loja, mas como eu já estava com as mãos na massa, disse-lhe que não valia a pena.

EXPRESSÃO IDÊNTICA:

Ter entre mãos.

ESTAR COM OS AZEITES

Estar aborrecido ou de mau humor.

Hoje, o professor estava com os azeites. Passou a aula toda a ralhar connosco, só porque a Emília chegou atrasada e não pediu desculpa.

EXPRESSÕES IDÊNTICAS:

Estar com a macaca.
Estar do lado do crapinteiro. [Açores]
Não estar de lapas. [Açores]

ESTAR COM OS COPOS

Estar embriagado.

A festa de aniversário do Manel foi muito divertida. Foi pena a Cristina estar com os copos e ter feito uma cena mesmo no final.

EXPRESSÕES IDÊNTICAS:

Andar aos ss.
Cercar galinhas. [Brasil]
Estar alegre.
Estar com a pinga.
Estar cuma verga. [Madeira]
Estar todo boiado. [Angola]
Ter um grão na asa.

ESTAR/FICAR COMO O TOLO NO MEIO DA PONTE

Estar bastante indeciso.

Ontem fomos ao cinema e havia duas estreias. Fiquei como o tolo no meio da ponte sem saber se ia ver o filme de terror ou a comédia romântica.

EXPRESSÕES IDÊNTICAS:

Estar como uma barata tonta.
Ser um asno de Buridan.

ESTAR COMO PEIXE NA ÁGUA

Ter grande à vontade em determinado assunto ou matéria.

O Germano é um excelente orador, tem imenso jeito para falar sobre qualquer assunto. Está como peixe na água.

EXPRESSÃO IDÊNTICA:

Estar no seu elemento.

ESTAR DE PAPO PARA O AR

Estar sem fazer nada; descansar.

A Inês, sem ter dado conta, escolheu para férias um programa em que tinham de fazer caminhadas todos os dias. Ficou furiosa, pois ela gosta é de estar de papo para o ar.

EXPRESSÕES IDÊNTICAS:

Andar ao pão grande. [Trás-os-Montes]
De costas ao alto.
Estar de perna estendida.
Laurear a pevide.

ESTAR DE PÉS E MÃOS ATADOS

Não estar em condições de poder reagir; não poder fazer nada.

O nosso chefe queria que fossemos aumentados, mas, infelizmente, está de pés e mãos atados, pois a Administração recusou a proposta.

EXPRESSÃO IDÊNTICA:

Ter os braços partidos.

ESTAR EM MAUS LENÇÓIS

Encontrar-se numa situação complexa e de difícil resolução.

A Ana copiou no exame e, como a professora a apanhou, agora está em maus lençóis.

EXPRESSÕES IDÊNTICAS:

Estar à rasca.
Estar metido numa alhada.
Meter-se numa camisa de onze varas.

ESTAR EM PULGAS

Estar ansioso ou impaciente perante a perspetiva de algum acontecimento.

Estou em pulgas para conhecer a namorada do Gustavo. Todos me dizem que ela é espetacular.

EXPRESSÕES IDÊNTICAS:

Andar com o grelo no ar. [Açores]
Estar cuma fraima. [Madeira]
Estar em alas. [Alentejo]

ESTAR ENTRE A ESPADA E A PAREDE

Encontrar-se numa situação difícil ou de resolução impossível.

A prestação da minha casa voltou a aumentar e não sei como é que a vou conseguir pagar. Estou entre a espada e a parede.

EXPRESSÕES IDÊNTICAS:

Estar com a corda no pescoço.
Estar entre a bigorna e o martelo.
Estar entre as cruzes e as caldeirinhas. [Açores]
Estar entre Cila e Caríbdis.

ESTAR NAS SUAS SETE QUINTAS

Sentir-se feliz ou satisfeito, por se encontrar numa situação favorável.

O Vasco está nas suas sete quintas desde que mudou de casa. Os vizinhos do apartamento anterior estavam sempre a arranjar problemas e conflitos. Livrou-se de boa!

ORIGEM:

"Segundo uma antiga lenda, os reis nacionais possuíam sete quintas no Seixal, para as quais se recolhiam quando queriam descansar e folgar. Estavam nas suas sete quintas, de facto."

in *Nas Bocas do Mundo*, Planeta

EXPRESSÃO IDÊNTICA:

Andar na pedra-mestra. [Açores]

ESTAR PELOS CABELOS

Estar farto; ficar sem paciência.

Estou a ficar pelos cabelos com a matéria de Álgebra Linear. Acho que nunca mais vou conseguir fazer esta cadeira.

EXPRESSÕES IDÊNTICAS:

Estar pelas pelinhas. [Madeira]
Ficar de saco cheio. [Brasil]

ESTAR-SE NAS TINTAS

Não se importar; ser indiferente em relação a algo.

Nós não vamos à festa, embora a Joana tenha ficado muito chateada. Sinceramente, estamo-nos nas tintas para o que ela pensa.

EXPRESSÕES IDÊNTICAS:

Estar-se a barimbar. [Algarve]
Estar-se borrifando.
Ser igual ao litro.

ESTICAR O PERNIL

Morrer; falecer.

O Sr. Joaquim teve um ataque cardíaco e esticou o pernil.

ORIGEM:

Tendo em conta que a palavra pernil se refere à parte mais delgada da perna de alguns animais, em particular à do porco, esta expressão remete para o antigo ritual da matança do porco, especificamente ao momento em que o animal dá um coice, antes de morrer.

EXPRESSÕES IDÊNTICAS:

Abotoar o paletó. [Brasil]
Bater as botas.
Fazer tijolo.
Ir à missa de costas. [Açores]
Ir desta para melhor.
Ir para os anjinhos.

FALAR PARA UMA PORTA

Falar para alguém que não nos ouve.

Estou a falar contigo desde que cheguei e tu não me estás a prestar atenção. Parece que estou a falar para uma porta.

EXPRESSÕES IDÊNTICAS:

Falar para as paredes.
Falar para o boneco.
Pregar aos peixes.
Pregar no deserto.

FALAR PELOS COTOVELOS

Ser tagarela; falar muito e, geralmente, sobre coisas fúteis.

A Mariana fala pelos cotovelos. Quando estamos com ela, mais ninguém tem hipótese de dizer o que quer que seja.

ORIGEM:

Há registos que dizem que o primeiro a usar esta expressão foi Horácio, famoso poeta romano. Nas suas obras, retratou as pessoas que falavam muito durante uma conversa e que tinham o hábito de gesticular de forma exagerada e tocar ou puxar os cotovelos dos seus interlocutores para chamar a sua atenção.

EXPRESSÕES IDÊNTICAS:

Falar como um papagaio.
Ser um abesoiro. [Alentejo]
Ser um fala-barato.
Ser um faroleiro. [Minho]

FAZER A CAMA [A ALGUÉM]

Arranjar um estratagema para prejudicar alguém.

O Sr. Silva foi despedido, porque, lhe fizeram a cama. Fiquei com pena, porque, com a idade que tem, dificilmente arranjará outro emprego.

EXPRESSÕES IDÊNTICAS:

Assar a batata quente [de alguém]. [Brasil]
Fazer a folha [a alguém].

FAZER A VIDA NEGRA [A ALGUÉM]

Tornar a vida de alguém insuportável.

A filha do Jorge faz-lhe a vida negra. Todas as semanas é chamado à escola para ouvir as queixas do diretor de turma. Coitado! Está cheio de cabelos brancos.

FAZER CASTELOS NO AR

Idealizar projetos que não se podem concretizar.

A Graça parece-me muito sonhadora e cada vez menos objetiva. Está sempre a fazer castelos no ar e acaba por sofrer grandes deceções.

EXPRESSÃO IDÊNTICA:

Tomar a nuvem por Juno.

FAZER CONTAS À MODA DO PORTO

Forma de dividir uma despesa comum, em que cada indivíduo paga aquilo que consome.

– Meus amigos, se não se importam, hoje fazemos contas à moda do Porto: cada um paga o que comeu.

FAZER FIGURA DE URSO

Fazer má figura.

O Eduardo faz sempre figura de urso, quando começa a falar sobre política. Mais valia estar calado e evitar discutir sobre assuntos que não domina.

FAZER GATO-SAPATO [DE ALGUÉM]

Manipular alguém.

A minha orientadora de estágio faz de mim gato-sapato. Fico muito revoltada, mas não posso reagir. Arrisco-me a ficar com uma nota péssima, se me recuso a fazer o que ela me pede.

EXPRESSÃO IDÊNTICA:

Fazer um joguete [de alguém].

FAZER OUVIDOS DE MERCADOR

Ignorar o que é dito; fazer de conta que não se ouve.

O diretor da escola tem feito ouvidos de mercador às reclamações da Associação de Pais, contribuindo pouco para a popularidade da instituição.

ORIGEM:

"[...] mercador não é sinónimo de vendedor, mas de agiota, já que, outrora, os judeus desempenhavam as duas funções em simultâneo e não se deixavam comover pelo pranto de quem não podia pagar as dívidas."

in *As Faces Secretas das Palavras*, ASA

EXPRESSÕES IDÊNTICAS:

Dar uma de João sem braço. [Brasil]
Fazer orelhas moucas.

FAZER PANELINHA

Fazer uma combinação, um acordo para satisfazer interesses comuns e geralmente secretos.

Os partidos da oposição fizeram panelinha para derrubar o governo.

ORIGEM:

Segundo Orlando Neves, a expressão sugere, através da referência à partilha da refeição ("panelinha"), que estes encontros secretos, com propósitos nem sempre honestos, se faziam à volta da mesa.

EXPRESSÃO IDÊNTICA:

Comer do mesmo prato.

FAZER RENDER O PEIXE

Prolongar uma situação em benefício próprio.

Como o filme Piratas das Berlengas *foi um sucesso de bilheteira, o realizador já fez três sequelas. Contudo, o que acaba de estrear é péssimo, nota-se que já está a fazer render o peixe.*

FAZER UMA TEMPESTADE NUM COPO DE ÁGUA

Reagir de forma exagerada perante um problema ou situação.

A Helena está nervosíssima, porque acha que lhe roubaram a carteira. A mim parece-me que está a fazer uma tempestade num copo de água, pois já não é a primeira vez que ela guarda as coisas e depois não sabe onde as pôs.

EXPRESSÕES IDÊNTICAS:

Afogar-se em pouca água.
Fazer de um argueiro um cavaleiro. [Brasil]
Fazer um bicho de sete cabeças.

FAZER UMA VAQUINHA

Juntar dinheiro através do contributo de várias pessoas para pagar uma despesa.

A minha turma fez uma vaquinha para a viagem de finalistas a Barcelona.

ORIGEM:

Esta expressão tem origem no Brasil e relaciona--se com o famoso jogo de apostas deste país. Nas primeiras décadas do século XX, os jogadores de futebol não recebiam um salário fixo, razão pela qual os adeptos do clube juntavam dinheiro para premiar os resultados positivos da equipa. O valor inspirava--se nos números do jogo do bicho, sendo que a vaca era o prémio mais valioso.

FAZER VISTA GROSSA

Fazer de conta que não se vê algo.

Para não se chatear com a Maria João, o professor fez vista grossa, ainda que ela estivesse a copiar descaradamente pelo Zé Luís.

EXPRESSÃO IDÊNTICA:

Fechar os olhos.

FECHAR-SE EM COPAS

Não revelar informação que outros desejam conhecer; manter um segredo.

Eu gostava de saber o que é que se passou ontem à noite, mas o Daniel fechou-se em copas. Embora tivesse insistido, ele não abriu a boca.

EXPRESSÕES IDÊNTICAS:

Dar um ponto na boca.
Entrar mudo e sair calado.
Fazer boca de siri. [Brasil]
Sem tugir nem mugir.

FERVER EM POUCA ÁGUA

Irritar-se facilmente.

A minha irmã tem de moderar as suas atitudes. Ferve em pouca água, por qualquer motivo.

EXPRESSÃO IDÊNTICA:

Ter o sangue quente.

FICAR A CHUCHAR NO DEDO

Não conseguir o que se pretende; ver frustradas as expectativas em relação a algo.

O Américo estava a contar receber um aumento este ano, mas ficou a chuchar no dedo.

EXPRESSÕES IDÊNTICAS:

Chegar à borda e vir a rede lavada. [Beira Litoral]
Ficar a chupar tamarindos. [Angola]
Ficar a ver Braga por um canudo.
Ficar a ver navios.

FICAR COM AS CALÇAS NA MÃO

Encontrar-se numa situação embaraçosa ou difícil.

Fiquei contente com o convite da Marta, mas não posso ir a esse restaurante. Da última vez que fui lá jantar, o cartão multibanco não funcionava. Se por acaso não estivesse lá um vizinho nosso que nos fez o favor de pagar o jantar, ficávamos com as calças na mão.

EXPRESSÃO IDÊNTICA:

Ver-se nas ataqueiras.

FICAR COM OS LOUROS

Aceitar elogios ou benefícios sem os merecer.

Na minha empresa, nós é que fazemos todo o trabalho duro para que as coisas andem para a frente, mas o chefe é que fica com os louros. É muito injusto!

ORIGEM:

Na Antiguidade Clássica, a coroa de louros era símbolo de vitória e triunfo. Aos imperadores e generais romanos e aos vencedores das provas dos Jogos Olímpicos da Grécia Antiga era oferecida uma coroa de louros, como reconhecimento dos seus êxitos.

EXPRESSÃO IDÊNTICA:

Pescar trutas a bragas enxutas.

FICAR COM UM OLHO À BELENENSES

Ficar com um olho pisado, de cor azulada.

O meu filho caiu ontem na aula de Educação Física e ficou com um olho à Belenenses.

ORIGEM:

A origem desta expressão estará certamente relacionada com o Clube de Futebol *Os Belenenses* e a cor utilizada nos seus equipamentos, o azul. Quando alguém se magoa ou é vítima de agressão, os hematomas na zona dos olhos adquirem um tom azulado.

FICAR EM ÁGUAS DE BACALHAU

Ficar sem efeito; algo que não se realiza.

A Adriana estava a organizar uma festa para a Passagem de Ano, mas como o marido ficou com gripe, os planos ficaram em águas de bacalhau.

ORIGEM:

"Uma das tradições mais arreigadas nos pescadores portugueses diz respeito à faina dos bacalhoeiros nos mares da Gronelândia. [...] muitas tragédias ocorreram, muitas cargas e barcos ficaram nessas águas para sempre. Se o sentido da frase é qualquer coisa 'se perder', 'ficar sem efeito', 'não chegar a bom termo', 'se frustrar', parece razoável supor-se a sua origem na atividade piscatória dos bacalhoeiros."

in *Dicionário de Expressões Correntes*, Notícias Ed.
(com supressões)

EXPRESSÃO IDÊNTICA:

Ir por água abaixo.

FICAR EM BOAS MÃOS

Receber apoio de alguém muito competente para o efeito.

Amanhã não vou estar no escritório, mas eu peço à Fátima para te assessorar. Não te preocupes, ficas em boas mãos.

EXPRESSÃO IDÊNTICA:

Estar em bom pé.

FRESCO COMO UMA ALFACE

Estar com bom aspeto; ter um ar saudável; sentir-se cheio de energia.

Estou surpreendido com o César! Estamos a trabalhar há doze horas seguidas para acabar o concurso e ele continua fresco como uma alface.

FUGIR COM O RABO À SERINGA

Esquivar-se de uma obrigação ou de um compromisso.

A Paula é uma excelente relações-públicas, mas quando preciso dela para fazer trabalhos administrativos, foge com o rabo à seringa.

EXPRESSÃO IDÊNTICA:

Fugir como o diabo da cruz.

HISTÓRIAS DO ARCO DA VELHA

Histórias muito fantasiosas ou pouco reais.

Ontem, quando estávamos a jantar, o Filipe começou, como de costume, a contar as suas histórias do arco da velha. Será que ele não percebe que já ninguém o leva a sério?

ORIGEM:

Esta expressão tem origem no Antigo Testamento, segundo o qual o arco-íris representa o pacto que Deus fez com Noé, após o dilúvio, a fim de perpetuar a sua ligação com todos os seres vivos da Terra. Arco da velha é uma simplificação da expressão Arco da Lei Velha.

EXPRESSÃO IDÊNTICA:

Histórias da carochinha.

IR À FACA

Ser submetido a uma intervenção cirúrgica.

Reparei no outro dia que a Tita foi à faca, embora ela não tenha comentado com ninguém. Aquela verruga não desapareceu por milagre, seguramente.

IR AOS ARAMES

Irritar-se muito; ficar furioso.

Estive duas horas na fila para ser atendida e, quando chegou a minha vez, disseram-me que faltava um impresso para o requerimento. Fui aos arames e pedi logo o livro de reclamações.

EXPRESSÕES IDÊNTICAS:

Atirar com os alcaricoques ao ar. [Trás-os-Montes]
Chutar o balde. [Brasil]
Ir aos ares.
Perder a cabeça.
Subir a mostarda ao nariz [a alguém].
Virar bicho. [Brasil]

IR/PASSAR DE CAVALO PARA BURRO

Passar de uma situação má para outra ainda pior.

A Cátia quis mudar de serviço no hospital, porque não simpatizava com a chefe. Agora, no sítio onde está, os colegas são horríveis, estão sempre a tentar prejudicar-se uns aos outros. Coitada, foi de cavalo para burro.

ORIGEM:

Pensa-se que a origem desta expressão remonta à Idade Média, época em que apenas os nobres possuíam cavalos; as classes sociais inferiores deslocavam-se em burros e mulas. Ora, se por alguma razão um nobre perdia o seu estatuto, deixava de poder andar a cavalo.

EXPRESSÕES IDÊNTICAS:

Passar de pato a ganso.
Pior a emenda que o soneto.

IR NA ONDA

Deixar-se convencer facilmente; ser influenciado por intrigas.

O Zé Manel chateou-se com o Gustavo, pois como a nova namorada não gosta dele, ele deixou-se ir na onda.

EXPRESSÕES IDÊNTICAS:

Emprenhar pelos ouvidos.
Ir a reboque.
Ir com duas cantigas.
Ir nas águas [de alguém]. [Brasil]

IR PARA O OLHO DA RUA

Ser despedido.

O meu marido foi para o olho da rua, só porque se recusou a trabalhar aos sábados, o que o deixou muito revoltado. Quando o contrataram, ninguém lhe disse que isso ia ser necessário.

EXPRESSÃO IDÊNTICA:

Ser despostiçado. [Trás-os-Montes]

LAMBER AS BOTAS [A ALGUÉM]

Ser adulador; ter atitude bajuladora.

O Hugo está sempre a lamber as botas ao chefe, para ver se é promovido.

EXPRESSÕES IDÊNTICAS:

Apaijar. [Trás-os-Montes]
Cortar jaca. [Brasil]
Dar graxa [a alguém].
Passar mel pelos beiços [de alguém].
Puxar o lustro.
Puxar o saco. [Brasil]

LANÇAR [ALGUÉM] ÀS FERAS

Colocar alguém numa situação difícil de forma intencional.

O nosso diretor lançou o António às feras, pois ele só está na empresa há duas semanas e já ficou com o nosso cliente mais difícil.

ORIGEM:

"É uma evidente referência histórica aos primeiros cristãos que, no auge das perseguições de alguns imperadores romanos, eram literalmente "lançados às feras" no Coliseu, como forma de execução."

in *Nas Bocas do Mundo*, Planeta

LAVAR A ROUPA SUJA

Discussão que se tem em público, de carácter pessoal.

O jantar com os nossos amigos foi muito desagradável, porque a Marlene e o marido começaram a lavar roupa suja à nossa frente, o que estragou completamente o ambiente.

LEVAR UM BAILE

Ser ridicularizado ou dominado por completo por um adversário.

O Tonivski levou um baile do Tamparov no torneio de xadrez, na semana passada. Depois disso, anunciou, na conferência de imprensa, que vai deixar as competições profissionais.

EXPRESSÕES IDÊNTICAS:

Levar um bigode.
Levar uma abada.
Ser metido a ridículo.

LEVAR UMA DESCASCA

Ser repreendido ou chamado à atenção, de forma severa.

Hoje, levámos uma descasca da professora, porque ninguém fez os trabalhos de casa.

EXPRESSÕES IDÊNTICAS:

Apanhar uma desanda.
Levar nas orelhas.
Levar um arrecuão. [Alentejo]
Levar um batibardo. [Trás-os-Montes]
Levar uma ensaboadela.
Levar uma resonda. [Madeira]
Ouvir sermão e missa cantada.
Ser chamado à pedra.

LEVAR UMA TAMPA

Ser rejeitado por aquele de quem se gosta.

O Paulo levou uma tampa da Isabel. O pobre do rapaz ainda não se recompôs.

EXPRESSÕES IDÊNTICAS:

Dar tábua. [Brasil]
Levar com as abóboras. [Açores]
Levar com os pés.

LIMPAR O SEBO [A ALGUÉM]

Matar; assassinar.

O Átila é um homem muito perigoso. Se fosse a ti, evitava fazer negócios com ele, pois é bem capaz de te mandar limpar o sebo.

EXPRESSÕES IDÊNTICAS:

Limpar o sarampo [a alguém].
Tratar da saúde [a alguém].

MANDAR PLANTAR BATATAS [A ALGUÉM]

Expressão usada para mostrar desprezo por alguém ou para ignorar aquilo que essa pessoa diz.

Ontem disse ao Litos que o último corte de cabelo não lhe ficava nada bem e ele mandou-me plantar batatas. Eu só estava a ser sincera, mas já que não gosta de ouvir as verdades, nunca mais lhe digo nada.

EXPRESSÕES IDÊNTICAS:

Mandar chatear o Camões.
Mandar ver se chove.
Mandar pentear macacos.

MATAR O BICHO

Tomar uma bebida alcoólica muito forte, geralmente aguardente, em jejum.

O meu avô tinha alguns hábitos estranhos. Todos os dias de manhã matava o bicho, pois estava convencido de que isso era o melhor remédio para afastar as doenças.

ORIGEM:

Havia uma crença antiga, segundo a qual existiam, no estômago de cada um, bichos que se manifestavam, através de roncos e outros ruídos. Por esta razão, as pessoas bebiam aguardente ou outra bebida forte para acalmar estes parasitas.

EXPRESSÃO IDÊNTICA:

Salgar o galo. [Brasil]

METER O NARIZ ONDE NÃO É CHAMADO

Intrometer-se em assuntos alheios.

Quando a Rita e a irmã se chatearam, o Pedro quis acalmar os ânimos, mas ninguém gostou da sua atitude, pois já não é a primeira vez que mete o nariz onde não é chamado.

EXPRESSÕES IDÊNTICAS:

Dar beijos com a boca dos outros. [Açores]
Meter a colherada.
Meter a foice em seara alheia.
Meter o bedelho.
Ser abelhudo. [Alentejo]
Ser cheira-bufas. [Beira Litoral]

METER O PÉ NA POÇA

Cometer um erro; dizer algo inconveniente.

O Nuno meteu o pé na poça quando tentou adivinhar a idade da sogra. Está condenado a receber meias no Natal até ao fim da vida!

EXPRESSÕES IDÊNTICAS:

Enfiar o pé na jaca. [Brasil]
Meter o pé na argola.

METER UMA CUNHA

Contar com a influência de uma pessoa conhecida para obter algo.

A Flor conseguiu arranjar um trabalho naquela empresa, porque meteu uma cunha. É óbvio que toda a gente reconhece que ela mereceu o lugar, mas que isso foi uma grande ajuda, foi.

EXPRESSÕES IDÊNTICAS:

Entrar pela janela. [Brasil]
Entrar pela porta do cavalo.

METER UMA PETA

Contar uma mentira.

A Eva é boa rapariga, mas nunca mais consegui confiar nela, desde que meteu uma peta ridícula sobre as pessoas famosas que tinha conhecido nas férias de verão.

EXPRESSÕES IDÊNTICAS:

Dar bilingue. [Angola]
Largar batatas. [Açores]
Soltar balões.

MISTURAR ALHOS COM BUGALHOS

Confundir coisas distintas; atrapalhar-se, fazendo associações desconexas.

A apresentação do trabalho da Tânia estava a correr muito bem, até a professora lhe ter colocado algumas questões. Começou a misturar alhos com bugalhos e deu a impressão de que não dominava o tema.

EXPRESSÕES IDÊNTICAS:

Alcatear. [Alentejo]
Meter os pés pelas mãos.

MORDER PELA CALADA

Prejudicar os outros de forma dissimulada.

Tem cuidado com a Paula, pois ela morde pela calada. Não deves confiar nela, porque é bem provável que na primeira oportunidade te prejudique para conseguir o que quer.

EXPRESSÃO IDÊNTICA:

Ser salamurdo. [Trás-os-Montes]

MORRER NA PRAIA

Não alcançar um objetivo quando já se está perto de o atingir e se ultrapassou a parte mais difícil.

O meu filho ficou muito dececionado, porque chegou à final do programa Achas que sabes cozinhar? *e não ganhou o primeiro prémio. Agora, não para de dizer que para morrer na praia, preferia não ter participado...*

ORIGEM:

Através desta expressão pode facilmente perceber--se a analogia com a situação do náufrago, que estando prestes a salvar-se, falha esse propósito.

NÃO CHEGAR AOS CALCANHARES [DE ALGUÉM]

Ser inferior em relação a alguém.

Continuo a lamentar que o Artur se tenha ido embora, porque o novo assessor não lhe chega aos calcanhares.

EXPRESSÃO IDÊNTICA:

Não chegar às solas dos sapatos [de alguém].

NÃO DAR UMA PARA A CAIXA

Dizer coisas absurdas ou fazer disparates.

O António gostava de ajudar na divulgação da nossa campanha, mas como não dá uma para a caixa, tive de lhe dizer que não era preciso.

EXPRESSÕES IDÊNTICAS:

Não acertar uma.
Viajar na maionese. [Brasil]

NÃO MEXER UMA PALHA

Estar sem fazer nada; vadiar.

Os trabalhos de grupo com o João nunca correm bem, porque ele não mexe uma palha e depois acabamos por ficar todos com a mesma nota.

EXPRESSÕES IDÊNTICAS:

Andar à gelfa. [Beira Litoral]
Laurear a pevide.
Não fazer boia.
Não fazer népia.

NÃO PREGAR OLHO

Não conseguir dormir, ter insónias.

Ontem fui ao cinema ver o filme de terror que estreou na semana passada, O Massacre no IC19, e não preguei olho toda a noite.

EXPRESSÕES IDÊNTICAS:

Passar a noite em branco.

Passar a noite em claro.

NÃO SABER DA MISSA A METADE

Ter desconhecimento sobre determinado assunto.

O diretor financeiro descobriu um buraco no orçamento da empresa, mas ainda não sabe da missa a metade. O pior ainda vai ser revelado.

NÃO SAIR DA CEPA TORTA

Não progredir; não ver melhorada a sua situação.

O meu marido está à espera de ser promovido há três anos, mas não sai da cepa torta.

ORIGEM:

A palavra cepa tem a sua origem no latim *cippu*, significando coluna ou tronco e ainda a base do tronco de um arbusto, como a videira. Ora, se uma cepa nasce torta, cresce pouco e está, por conseguinte, condenada a não dar frutos.

EXPRESSÃO IDÊNTICA:

Não dar frutos.

NÃO SER FLOR QUE SE CHEIRE

Pessoa de carácter duvidoso ou mau carácter.

O namorado da Margarida não é flor que se cheire. Eu já a avisei para ter cuidado, caso contrário ainda vai sofrer algum desgosto.

EXPRESSÕES IDÊNTICAS:

Ser de marca Judas.
Ser um traste.
Ser uma bisca.

NÃO TER ONDE CAIR MORTO

Não ter dinheiro; estar falido.

O António vive preocupado com as aparências. Comprou um carro novo, mesmo não tendo onde cair morto.

EXPRESSÕES IDÊNTICAS:

Andar de nagalho sacudido. [Beira Interior]
Estar de tanga.
Estar nas lonas.
Estar teso como um carapau.
Não ter dinheiro para mandar cantar um cego.
Não ter eira nem beira.
Não ter um chavo.

NÃO TER PÉS NEM CABEÇA

Coisa disparatada ou sem lógica.

O projeto para a casa nova que o arquiteto nos apresentou não tinha pés nem cabeça. Ninguém percebeu por que razão havia um buraco no meio do telhado.

EXPRESSÃO IDÊNTICA:

Não ter ponta por onde se lhe pegue.

NEGÓCIO DA CHINA

Negócio muito proveitoso ou lucrativo.

Comprei um robô de cozinha baratíssimo, em segunda mão e em ótimo estado. Já fiz sopas, bacalhau com natas, caipirinhas e várias sobremesas. Foi um verdadeiro negócio da China!

ORIGEM:

Esta expressão remonta aos séculos XVI e XVII, quando os portugueses e outros europeus viajavam até à China, com o objetivo de comprar mercadorias muito baratas que depois vendiam na Europa por preços muito superiores.

EXPRESSÕES IDÊNTICAS:

Árvore das patacas.
Galinha dos ovos de ouro.
Negócio da Costa da Mina.

NO DIA DE SÃO NUNCA (À TARDE)

Expressão usada para referir um facto que nunca acontecerá.

O Fernando insiste em convidar-me para irmos ao cinema, mesmo depois de lhe ter respondido "No dia de São Nunca à tarde". É mesmo chato...

EXPRESSÕES IDÊNTICAS:

Quando as galinhas tiverem dentes.
Quando o Chico vier da areia. [Açores]
Quando o rei faz anos.

NO TEMPO DOS AFONSINHOS

Há muito tempo.

Os meus pais estão sempre a dar conselhos sem nexo, como se ainda vivêssemos no tempo dos Afonsinhos.

ORIGEM:

Esta expressão, que apresenta a variante "Nos Tempos Afonsinos" refere-se à dinastia afonsina, época em que foram promulgados, em Portugal, os primeiros forais que ordenavam as povoações. Para além de referir tempos antigos, a expressão pode também reportar-se a costumes antigos e obsoletos.

EXPRESSÕES IDÊNTICAS:

Do tempo da Amorosa. [Brasil]
No tempo da Maria Cachucha.
No tempo em que a Berta fiava.

OBRAS DE SANTA ENGRÁCIA

Obra demorada, que parece não ter fim; o que se começa e nunca se acaba.

A nova estação de metro começou a ser construída há dez anos e ainda não está pronta. É como as obras de Santa Engrácia.

ORIGEM:

O Panteão Nacional ocupa o edifício originalmente destinado para a construção da igreja de Santa Engrácia, em Lisboa, que demorou quatrocentos anos a ser construído. Conta a lenda que havia um jovem que estava apaixonado por uma noviça do Convento de Santa Clara e que todas as noites se encontravam às escondidas. Uma noite, o convento foi assaltado e o jovem foi considerado culpado por ser ali visto frequentemente e injustamente condenado à fogueira pela Inquisição. A condenação aconteceu junto à igreja de Santa Engrácia, cujas obras já tinham começado. Antes de morrer, o rapaz disse: "É tão certo eu estar inocente como as obras nunca mais se acabarem!"

IGREJA DE SANTA ENGRÁCIA

OLHAR CONTRA O GOVERNO

Ter um problema de estrabismo.

O Rui usou óculos quando era novo, porque olhava contra o governo.

EXPRESSÕES IDÊNTICAS:

Ser birolho. [Trás-os-Montes]
Ser bisgaia. [Alentejo]

ONDE JUDAS PERDEU AS BOTAS

Local muito distante.

A aldeia dos meus pais fica onde Judas perdeu as botas. Demoramos sempre imenso tempo para lá chegar.

EXPRESSÕES IDÊNTICAS:

Em cascos de rolha.
Para lá do sol posto.
No cu de Judas.
No fim do mundo.
Nos quintos dos infernos.

PAGAR/RESPONDER [A ALGUÉM] NA MESMA MOEDA

Retribuir ou responder a alguém da mesma maneira.

A Eva foi bastante desagradável comigo e, embora eu não me reveja neste tipo de comportamento, paguei-lhe na mesma moeda.

EXPRESSÕES IDÊNTICAS:

Dar a provar do mesmo veneno.
Olho por olho, dente por dente.

PARA INGLÊS VER

O que se faz para causar boa impressão, mesmo que não corresponda à verdade.

Em virtude da crise, o governo implementou uma medida para inglês ver, já que esta não vai ter qualquer efeito na vida dos contribuintes.

ORIGEM:

"(...) os portugueses e os britânicos assinaram um compromisso, em 1815, que proibia Portugal de traficar escravos no hemisfério norte. Duas décadas mais tarde (...) o Parlamento Britânico aprovou uma lei que criminalizava a escravatura, concedendo unilateralmente à *Royal Navy* poderes para abordar e inspecionar as embarcações portuguesas. (...) os traficantes de escravos arranjaram uma estratégia astuciosa para enganar os britânicos. Diz-se que os portugueses carregavam a embarcação que ia na frente da frota de navios negreiros com uma carga inócua, para que a *Royal Navy* a inspecionasse e deixasse passar o comboio naval, mas que os navios seguintes iam cheios de escravos."

in *Os Portugueses*, Clube do Autor (com supressões)

PASSAR A BATATA QUENTE [A ALGUÉM]

Livrar-se de um problema, passando-o a outra pessoa.

O António deixou a Associação de Condóminos com imensos problemas financeiros e passou a batata quente à atual administração.

PASSAR [ALGO] A PENTE FINO

Verificar algo com muita minúcia.

Ao fazer o balanço mensal da loja, percebi que faltavam cento e cinquenta euros. Tive de passar a pente fino todas as faturas para tentar perceber o que é que tinha acontecido.

EXPRESSÃO IDÊNTICA:

Refundiar. [Madeira]

PASSAR PELAS BRASAS

Dormir um sono leve e curto.

O tema da palestra era muito interessante, mas o orador era tão monocórdico que cheguei a passar pelas brasas.

EXPRESSÕES IDÊNTICAS:

Bater uma sorna.
Estar a pesar figos.
Tirar um cochilo. [Brasil]
Tirar uma pestana. [Brasil]

PERDER O FIO À MEADA

Perder o raciocínio; esquecer-se do que se ia ou estava a dizer.

O meu chefe está a ficar muito esquecido. Nas reuniões, faz discursos longos e perde constantemente o fio à meada. Chega a ser constrangedor.

ORIGEM:

Esta expressão poderá ter-se inspirado na mitologia grega e no labirinto de Minotauro. Foi graças ao fio que Ariadne, filha de Minos, rei de Creta, deu a Teseu, que este conseguiu derrotar o monstro e encontrar o caminho da saída do labirinto.

PINTAR O SETE

Arranjar confusão; fazer desacatos.

O Luizinho pintou o sete em casa da minha mãe no fim de semana passado e agora ela disse que nunca mais o posso deixar lá ficar.

EXPRESSÕES IDÊNTICAS:

Fazer trinta por uma linha.
Pintar a macaca.
Pintar a manta.

PÔR A BOCA NO TROMBONE

Divulgar um segredo com grande alarido.

Soube-se que a Luísa ganhou o euromilhões, porque a prima dela pôs a boca no trombone.

EXPRESSÕES IDÊNTICAS:

Dizer à boca cheia.
Espalhar aos quatro ventos.

PÔR A CARROÇA À FRENTE DOS BOIS

Precipitar-se; comprometer uma situação por não respeitar as etapas normais.

O Alberto namora com a Maria há uma semana e já a pediu em casamento. Já lhe disse que está a pôr a carroça à frente dos bois.

PÔR AS MÃOS NO FOGO [POR ALGUÉM]

Confiar plenamente em alguém.

Na minha empresa, as pessoas não confiam no Chico, mas eu ponho as mãos no fogo por ele.

ORIGEM:

Na Idade Média, a Igreja utilizava métodos de tortura para apurar a inocência ou culpabilidade dos suspeitos de heresia. Havia uma prova em que os acusados deviam transportar um ferro em brasa, sendo que a sua inocência seria determinada caso não ficassem com queimaduras nas mãos, uma vez que isso seria um sinal de que Deus os tinha protegido.

EXPRESSÃO IDÊNTICA:

Assinar de cruz [por alguém].

PÔR EM PRATOS LIMPOS

Clarificar uma situação, de modo a dissipar todas as dúvidas ou mal-entendidos.

Desde que o Rodrigues e o Silva decidiram pôr tudo em pratos limpos, o ambiente no escritório está muito melhor.

EXPRESSÕES IDÊNTICAS:

Pôr os pontos nos ii.
Tirar ditos a limpo. [Açores]

POR UMA UNHA NEGRA

Por pouco.

Quando em 1982, a Rosa Mota se sagrou campeã da Europa, na prova de maratona, em Atenas, ela venceu por uma unha negra.

EXPRESSÕES IDÊNTICAS:

Por um fio.
Por um pelo.
Por um triz.
Por uma assacornada. [Açores]
Resvés Campo de Ourique.

PÔR-SE NA ALHETA

Fugir, geralmente, de uma situação complicada ou de um problema.

Os sócios fizeram um desvio de dinheiro da empresa e puseram-se na alheta, antes que fossem descobertos.

EXPRESSÕES IDÊNTICAS:

Dar à sola.
Dar às cardas. [Beira Litoral]
Dar às de Vila Diogo.
Dar de frosques.
Dar o fora. [Brasil]
Dar tirosa. [Angola]
Pôr-se a cavar.
Pôr-se ao fresco.

QUEIMAR AS PESTANAS

Estudar muito.

Como temos dois exames esta semana, ontem estivemos todo o dia a queimar as pestanas.

ORIGEM:

Antigamente, nos tempos em que não havia eletricidade, quando se estudava à noite, era necessário fazê-lo à luz das velas. Daí que, pela proximidade da chama, por vezes, se queimassem as pestanas.

EXPRESSÃO IDÊNTICA:

Agarrar-se ao verbo. [Coimbra]

REMAR CONTRA A MARÉ

Contrariar a opinião da maioria; defender causas perdidas, fazendo muitas vezes um esforço inútil.

Atualmente, quem se recusa a utilizar fontes de energia renováveis está a remar contra a maré.

EXPRESSÕES IDÊNTICAS:

Ir contra a corrente.
Lutar contra moinhos de vento.

RESPONDER [A ALGUÉM] COM SETE PEDRAS NA MÃO

Expressar-se de forma agressiva, indelicada.

Quando perguntei ao meu cunhado quanto é que ganhava no novo trabalho, ele respondeu-me com sete pedras na mão.

ORIGEM:

Segundo Sérgio Luís de Carvalho, poderá existir uma relação entre esta expressão e o episódio bíblico relatado no *Evangelho de S. João* (8:7), em que Cristo salva uma mulher adúltera da morte por apedrejamento, ao proferir a famosa frase: "Aquele que dentre vós está sem pecado seja o primeiro que atire pedra contra ela".

SACUDIR A ÁGUA DO CAPOTE

Não assumir as próprias culpas.

Quando perguntei à Mariana quem tinha partido a jarra, ela sacudiu a água do capote.

EXPRESSÕES IDÊNTICAS:

Atirar as culpas para cima de alguém.
Lavar as mãos.
Salvar a pele.

SAIR DA CASCA

Indivíduo tímido que começa a desinibir-se.

O Guilherme era muito certinho, mas, desde que entrou na universidade, começou a sair da casca.

EXPRESSÃO IDÊNTICA:

Esperdigotar. [Trás-os-Montes]

SALTAR À VISTA

Ser evidente ou óbvio.

Os problemas entre os teus pais saltam à vista. Estão sempre a discutir por tudo e por nada.

EXPRESSÃO IDÊNTICA:

Estar mesmo à frente do nariz.

SEM DIZER ÁGUA VAI

Sem aviso prévio; sem pedir licença.

O meu inquilino decidiu deixar a casa sem dizer água vai.

ORIGEM:

Esta expressão tem origem em costumes antigos, quando ainda não havia canalizações nem esgotos nas cidades e as pessoas eram obrigadas a atirar líquidos e outros dejetos na via pública. Esperava-se que antes de o fazerem, avisassem os transeuntes, através da expressão "Água vai!".

EXPRESSÕES IDÊNTICAS:

Sem dar cavaco.
Sem mais nem menos.
Sem rodeios.
Sem tir-te nem guar-te.

SEM PAPAS NA LÍNGUA

Exprimir as opiniões de forma direta e frontal.

Se as pessoas falassem sem papas na língua, ficávamos todos a ganhar. Evitar-se-iam muitos mal-entendidos.

ORIGEM:

Esta expressão tem origem espanhola e a versão original é "no tener pepitas en la lengua". Segundo o *Diccionário de la Real Academia Española*, "pepita" é um tumor que certas aves possuem na língua, o que as impede de cacarejar.

EXPRESSÃO IDÊNTICA:

Chamar os bois pelo nome direito. [Açores]
Falar sem meias palavras.
Não usar farelo. [Açores]

SER A OVELHA RONHOSA

Alguém que se destaca num grupo pelos seus defeitos e que, por isso, se torna indesejável.

O Roberto é a ovelha ronhosa da turma. Os colegas não o suportam, porque ele está sempre a arranjar confusão.

ORIGEM:

Embora se utilize erradamente a expressão "ovelha ranhosa", a versão correta tem origem numa doença, a ronha, um género de sarna que ataca alguns animais.

EXPRESSÃO IDÊNTICA:

Ser a ovelha negra.

SER AMIGO DE PENICHE

Ser falso e interesseiro; pessoa em quem não se pode confiar.

Pedi ao Afonso para me ajudar a lavar o carro, mas ele não apareceu. É um amigo de Peniche!

ORIGEM:

Em maio de 1589, desembarcou em Peniche uma poderosa armada de soldados enviados pela rainha de Inglaterra, Isabel I, que, em auxílio de D. António, prior do Crato, pretendia terminar com a ocupação espanhola, restaurando a independência do país. Este acontecimento deu uma nova esperança aos apoiantes de D. António que diziam entre si: "Vêm aí os nossos amigos que desembarcaram em Peniche... Vêm aí os nossos amigos de Peniche." No entanto, esta ajuda revelar-se-ia desastrosa, pois os soldados ingleses destruíram as aldeias por onde passaram e acabaram mesmo por fugir, quando foram surpreendidos pelos ataques castelhanos em Lisboa.

EXPRESSÃO IDÊNTICA:

Ser amigo da onça. [Brasil]

SER BOTA DE ELÁSTICO

Ser retrógrado, muito conservador ou pouco recetivo à inovação.

A minha irmã detesta as redes sociais. Parece-me que está a ser bota de elástico. Como já dizia Camões: "Mudam-se os tempos, mudam-se as vontades".

ORIGEM:

"Eram botas curtas com elásticos nos lados do cano para melhor adaptação ao pé. Foram comuns até meados do século XX, e muitas vezes associavam-se a pessoas de idade um pouco avançada. Por se associar a este tipo de pessoas e por terem passado de moda em meados do século XX, passaram a simbolizar o que estivesse desatualizado e ultrapassado"

in Nas Bocas do Mundo, Planeta

EXPRESSÃO IDÊNTICA:

Ser um velho do Restelo.

SER CANJA

Ser muito fácil.

O exame de código foi canja. Acertei em todas as respostas.

EXPRESSÕES IDÊNTICAS:

Não ter osso nem espinha.
Ser de caras.
Ser mamão com açúcar. [Brasil]
Ser pera doce.
Serem favas contadas.

SER CORRIDO A TOQUE DE CAIXA

Ser mandado embora.

Estávamos a ensaiar a nova música na garagem do Beto, mas fomos corridos a toque de caixa pela mãe dele.

ORIGEM:

Tendo em conta que neste contexto caixa significa tambor, a expressão baseia-se na marcha dos militares, marcada pelo ritmo deste instrumento.

SER MÃOS-ROTAS

Ser muito generoso; pessoa gastadora, perdulária.

O meu avô sempre foi mãos-rotas. Infelizmente, foi por esse motivo que ficou na penúria.

EXPRESSÕES IDÊNTICAS:

Ser estarraçado. [Açores]
Ser mãos-largas.

SER O BOMBO DA FESTA

Aquele que é gozado; pessoa que é alvo de comportamentos agressivos.

Depois do que aconteceu no aniversário do Armindo, o meu filho não tem vontade de voltar à escola, pois não lhe apetece voltar a ser o bombo da festa.

EXPRESSÕES IDÊNTICAS:

Ser o bobo da corte.
Ser o bobo da festa.

NOTA: Existe alguma confusão relativamente ao uso das expressões "Ser o bombo da festa" e "Ser o bobo da festa", quem sabe se pela proximidade das palavras "bombo" e "bobo". Embora ambas possam referir aquele que é vítima de troça, a última refere, numa aceção menos negativa, aquele que faz rir os outros.

SER PAU PARA TODA A COLHER

Ser versátil; ter capacidade para realizar tarefas de natureza distinta.

O meu vizinho é pau para toda a colher: é músico, faz parte de uma associação ambiental e nos tempos livres ainda dá workshops de cozinha.

EXPRESSÕES IDÊNTICAS:

Homem dos sete ofícios.
Ser pau para toda a obra.

SER POBRE E MAL-AGRADECIDO

Ser ingrato para com alguém que prestou um favor ou auxílio.

Emprestei os meus apontamentos ao Carlos, mas ele nem obrigado disse. É pobre e mal-agradecido!

EXPRESSÕES IDÊNTICAS:

Cuspir no prato que comeu. [Brasil]
Dar com os pratos na cara. [Açores]
Morder a isca e borrar o anzol.
Sujar a água que bebe. [Brasil]

SER TAPADO

Ser inocente; não ver ou compreender aquilo que é óbvio; ser intelectualmente limitado.

O Chico é mesmo tapado. Já é a décima vez que reprova no exame de código...

EXPRESSÕES IDÊNTICAS:

Não ver um boi.
Não ver um palmo à frente do nariz.
Ter peneiras nos olhos.
Ter um T na testa.

SER UM AGARRADO

Ser muito poupado e sovina.

O namorado da Joana não lhe ofereceu nada no aniversário. Bem se vê que é um agarrado.

EXPRESSÕES IDÊNTICAS:

Cortar as unhas rentes.
Não dar sarna a cães.
Ser mão de vaca. [Brasil]
Ser somítico.
Ser sovina.
Ser um fomento. [Trás-os-Montes]
Ser um forreta.
Ser um pão duro. [Brasil]
Ser unhas de fome.

SER UM ATADO

Ser pouco desembaraçado ou muito tímido.

O Aníbal não consegue arranjar trabalho, porque é um atado. Já vai fazer quarenta anos e ainda vive com a mãe.

EXPRESSÕES IDÊNTICAS:

Ser um chora-lêndeas. [Açores]
Ser um totó.

SER UM BALDE DE ÁGUA FRIA

Sofrer uma deceção.

A eliminação da seleção de hóquei em patins no último campeonato do mundo foi um balde de água fria.

EXPRESSÕES IDÊNTICAS:

Cair das nuvens.
Cair do cavalo.
Dar com os dentes no sedeiro. [Beira Alta]
Ser uma banhada.

SER UM BANANA

Pessoa que não tem vontade própria e que faz tudo o que lhe dizem.

O Vasco é um banana. Faz tudo o que o patrão lhe manda e não tem sentido crítico nenhum.

EXPRESSÕES IDÊNTICAS:

Andar à sirga [de alguém].
Andar de chanqueta. [Trás-os-Montes]
Ser um fantoche.
Ser um pau-mandado.

SER UM BICHO DO MATO

Ser pouco sociável.

A Elsa nunca vai a nenhuma festa da empresa. É um bicho do mato.

EXPRESSÕES IDÊNTICAS:

Ser um bicho do buraco.
Ser um caramono. [Trás-os-Montes]

SER UM OVO DE COLOMBO

Plano ou solução aparentemente difícil, mas que se revela fácil depois de alguém fazer a sua demonstração.

A solução do Neves para resolver o problema orçamental da empresa é um ovo do Colombo.

ORIGEM:

Conta-se que após a descoberta da América, Cristóvão Colombo terá sido convidado pelo cardeal de Espanha para um banquete em sua homenagem, onde estava presente um nobre que, possuído pela inveja, tentou desvalorizar as façanhas do navegador. Este desafiou os presentes a colocarem um ovo em pé. Todos fracassaram com exceção de Colombo que, amassando a casca do ovo, conseguiu ter êxito. Em sentido figurado, o explorador quis provar que aquilo que parece difícil de concretizar, afinal é fácil depois de o vermos feito.

SER UM PENDURA

Pessoa chata e inoportuna e que geralmente impõem aos outros a sua companhia; parasita que vive às custas de alguém.

O meu irmão mais novo é um pendura. Quer sempre sair comigo e com os meus amigos, mas ninguém tem paciência...

EXPRESSÕES IDÊNTICAS:

Andar à gosma. [Beira Litoral]
Andar às fiúzas [de alguém]. [Açores]
Ser um cola.
Ser uma chaga-laparosa. [Açores]
Ser uma lapa.

SER UM PINGA-AMOR

Ser muito romântico ou sentimental.

O meu irmão é um pinga-amor. Quando está apaixonado, passa horas no quarto a ouvir música romântica e anda pelos cantos da casa com cara de parvo.

SER UM SANTO DE PAU OCO

Pessoa falsa ou dissimulada, que aparenta ser uma coisa que não é.

Os professores adoram o Marco, porque tem boas notas. Mal sabem que ele é um santo de pau oco e que nos exames se farta de copiar.

ORIGEM:

"[...] durante os séculos XVIII e XIX, figuras de santos, feitas de pau e ocas por dentro, serviram para o contrabando de pedras preciosas, ouro e outras riquezas, entre o Brasil e Portugal. O esconderijo era perfeito, pois ninguém iria imaginar que as imagens religiosas ocultassem tão grande pecado!"

in *As Faces Secretas das Palavras*, ASA

EXPRESSÃO IDÊNTICA:

Ser um sonso.

SER UM TRINCA-ESPINHAS

Pessoa muito magra.

O meu filho é um trinca-espinhas. Embora coma muito, não consegue engordar.

EXPRESSÕES IDÊNTICAS:

Estar chupado pelas carochas. [Açores]
Ser um palito.
Ser um pau de virar tripas.

SER UM TROCA-TINTAS

Ser trapalhão ou intrujão.

O Américo é um troca-tintas! Ainda ontem me disse que ia começar a fazer dieta e hoje já comeu uma chanfana de borrego sozinho.

EXPRESSÕES IDÊNTICAS:

Ser um aldravaz. [Alentejo]
Ser um fajardo.
Ser um troles-boles. [Trás-os-Montes]

SER UM VIRA-CASACAS

Mudar de opinião rapidamente e de forma leviana.

Na vida política, houve sempre casos famosos de vira-casacas que à primeira oportunidade traíram os seus princípios.

EXPRESSÕES IDÊNTICAS:

Dançar conforme a música.

Dar o dito por não dito.

Enveredar por uma estrada de Damasco.

Fazer capicua.

Ser alcagote. [Beira Interior]

Ser cu de duas fraldas. [Açores]

Ser feijão de duas caras.

Ver de que lado sopra o vento.

Voltar com a palavra atrás.

SER UM ZERO À ESQUERDA

Ser alguém insignificante, sem valor ou um mau profissional.

O meu colega novo tem causado má impressão na empresa e todos dizem que é um zero à esquerda. A mim parece-me prematuro fazer juízos de valor sobre o rapaz.

EXPRESSÕES IDÊNTICAS:

Ser um bebe-água. [Alentejo]

Ser um bicho-careta.

Ser um borra-botas.

Ser um chosco. [Trás-os-Montes]

SER UMA MOSCA-MORTA

Ser uma pessoa sem interesse, monótona ou sem vivacidade.

O novo diretor do museu é uma mosca-morta, por isso não deve manter o posto até ao final do ano. Trata-se de um cargo que exige muito dinamismo.

EXPRESSÕES IDÊNTICAS:

Ser boelo. [Angola]
Ser um olho de lapa morta. [Açores]
Ser um pãozinho sem sal.

SER UNHA COM CARNE

Expressão usada para referir pessoas muito amigas e íntimas.

A Cristiana e a Inês são unha com carne. São as melhores amigas desde o infantário.

EXPRESSÕES IDÊNTICAS:

Andar o saco atrás do nagalho. [Beira Interior]
Parecer o Roque e a amiga.

SETE CÃES A UM OSSO

Expressão usada para referir algo que é pretendido por muitos.

Eu gostava imenso de ir trabalhar para aquela empresa, mas, provavelmente não vou conseguir. Somos sete cães a um osso.

SUBIR À CABEÇA

Tornar-se convencido; achar-se mais importante depois de ter alcançado algum êxito.

O dinheiro que a Vanessa Filipa ganhou no novo reality show subiu-lhe à cabeça. Imaginem que ela até já contratou um segurança.

EXPRESSÃO IDÊNTICA:

Ficar inchado.

TER A BARRIGA A DAR HORAS

Sentir muita fome.

Comi uma salada ao almoço, por isso já tenho a barriga a dar horas.

EXPRESSÕES IDÊNTICAS:

Andar com o estômago nas costas.
Estar cheio de apitos.
Ter a foice picada. [Trás-os-Montes]
Ter um ratinho.
Ter uma roeza. [Madeira]

TER A FACA E O QUEIJO NA MÃO

Ter o poder de decisão.

Eu gostava de interceder pelo meu aluno, mas o Diretor da Escola é que tem a faca e o queijo na mão.

EXPRESSÕES IDÊNTICAS:

Apanhar a pata. [Angola]
Ter todos os trunfos na manga.

TER AS COSTAS LARGAS

Tomar sobre si as culpas alheias.

Mesmo que não tenha sido a Maria a deixar a porta aberta, os pais vão castigá-la a ela e não ao irmão mais novo. Ela já está habituada, tem as costas largas, por isso não se incomoda muito.

EXPRESSÕES IDÊNTICAS:

Bancar o Cristo. [Brasil]
Pagar as favas.
Pagar o pato. [Brasil]
Ser o bode expiatório.
Ser pião das nicas. [Madeira]

TER AS COSTAS QUENTES

Contar com a proteção de alguém.

Quando era novo, estava sempre a fazer asneiras, porque tinha as costas quentes. Os meus pais resolviam todos os problemas em que me metia.

EXPRESSÃO IDÊNTICA:

Estar sob a égide [de alguém].

TER BARBAS

Ser muito antigo ou velho.

O Rodrigo convidou-nos para irmos assistir ao novo espetáculo de stand up e ficámos um pouco dececionados com a atuação dele. As piadas que contou já têm barbas.

EXPRESSÃO IDÊNTICA:

Ser mais velho que a Sé de Braga.

TER BICHOS-CARPINTEIROS

Pessoa muito irrequieta.

O meu sobrinho tem bichos-carpinteiros. É incapaz de estar sentado mais do que cinco minutos.

EXPRESSÕES IDÊNTICAS:

Estar ligado à corrente.
Ser um alquetete. [Beira Interior]
Ter bicho de pêssego. [Madeira]

TER DOR DE COTOVELO

Sentir inveja.

*A Natália critica muito a minha maneira de vestir,
mas já sei que ela tem dor de cotovelo.*

EXPRESSÕES IDÊNTICAS:

Botar olho grande em [algo de alguém].
Não poder ver uma camisa lavada [a alguém].
Ser como o frade nabiça. [Açores]

TER LATA

Ser descarado ou atrevido.

*No talho, cobraram-me uma fortuna por uma
orelha de porco. É preciso ter lata!*

EXPRESSÕES IDÊNTICAS:

Ter cara de pau. [Brasil]
Ter pelo. [Brasil]
Ter uma arreata. [Algarve]

TER MAIS OLHOS QUE BARRIGA

Querer comer mais do que aquilo que se é capaz; ser guloso.

O meu marido pediu uma dose de papas de sarrabulho, mas deixou ficar metade na travessa. Estou-lhe sempre a dizer que tem mais olhos que barriga.

TER MEMÓRIA DE ELEFANTE

Ter boa memória.

A minha cunhada tem memória de elefante, lembra-se dos aniversários de toda a família.

ORIGEM:

O elefante tem uma apurada memória espacial, pois, para se alimentar, é obrigado a percorrer longas distâncias. São inúmeros os relatos que demonstram que este animal tem muita facilidade em aprender o que lhe ensinam e que raramente esquece o mal que lhe fazem. Exemplo disso é a famosa história do elefante de Samatra: todos os dias este animal era conduzido até um riacho e, no percurso, tinha o hábito de estender a tromba até às janelas das casas por onde passava, para que lhe dessem frutas e outros alimentos. Um dia, um alfaiate picou o animal. Quando o elefante chegou ao riacho, encheu a tromba de água e no regresso dirigiu-se à casa do "malfeitor", e atirou-lhe um jato de água pela sua janela.

TER MUITA GARGANTA

Pessoa gabarola, que promete muito, mas faz pouco.

O Presidente da Câmara tem muita garganta, diz que vai modernizar todas as escolas, investir mais na saúde, mas já toda a gente sabe que ele não passa à ação.

EXPRESSÕES IDÊNTICAS:

Contar rombas e catalombas. [Alentejo]
Muita parra e pouca uva.
Ter muita léria.
Ter muito paleio.
Vender fardos. [Açores]

TER O REI NA BARRIGA

Ser arrogante e presunçoso.

A Mariana tem o rei na barriga, só porque o pai é presidente do Andorinhas Futebol Clube.

ORIGEM:

Esta expressão remonta ao período da Monarquia, altura esta em que as rainhas, estando grávidas, eram alvo de toda a atenção e cuidados, já que era através delas e da sua descendência que se garantia a sucessão dinástica.

EXPRESSÕES IDÊNTICAS:

Andar emproado.
Armar-se em carapau de corrida.
Cantar de galo.
Ter o nariz empinado.

TER OUVIDOS DE TÍSICO

Ouvir muito bem.

Tem cuidado com o que falas quando a Rute estiver presente, porque ela tem ouvidos de tísico. Pode estar a alguns metros de distância, mas ouve tudo.

ORIGEM:

Antes da Segunda Guerra Mundial, muitos jovens sofriam de tuberculose pulmonar, doença denominada na altura de tísica. Como as pessoas que sofrem desta doença ficam com os sentidos apurados, em particular, a audição, surgiu a expressão "ouvidos de tísico".

TER PELO NA VENTA

Ter mau feitio; irritar-se facilmente.

A filha mais velha da Palmira tem pelo na venta. No outro dia, perguntei-lhe se já tinha namorado e deu-me uma má resposta.

EXPRESSÃO IDÊNTICA:

Ser uma abespra. [Alentejo]

TER SANGUE NA GUELRA

Ser dinâmico; reagir, por vezes, de forma irrefletida.

Aquele deputado é muito persuasivo, nos seus discursos fala apaixonadamente e mostra aos eleitores que tem sangue na guelra.

TER TELHADOS DE VIDRO

Assumir uma atitude crítica perante os defeitos dos outros, não sendo capaz, porém, de reconhecer os próprios erros.

O meu vizinho está sempre a criticar os jovens; diz que são uns delinquentes. Ele devia estar calado, pois tem telhados de vidro. Todos sabem que, quando era mais novo, foi preso várias vezes, por criar desacatos na ordem pública.

EXPRESSÕES IDÊNTICAS:

Rir-se o roto do esfarrapado.
Ver o argueiro no olho alheio e não ver a trave no seu olho.

TER TENTO NA LÍNGUA

Ser comedido e moderado no que se diz ou como se diz.

O meu filho precisa de ter tento na língua. Desde que mudou de escola, já arranjou problemas com vários professores, porque, simplesmente, diz o que lhe apetece.

TER UM PARAFUSO A MENOS

Ter algum tipo de perturbação mental ou apresentar um comportamento estranho.

O Joaquim tem um parafuso a menos. Já o encontrei várias vezes a falar sozinho no meio da rua.

EXPRESSÕES IDÊNTICAS:

Não bater bem da bola.
Não fechar bem a mala.
Não jogar com o baralho todo.
Não regular bem do juízo.
Não ser bom da pinha.
Regular mal da cachola.
Ter uma porca moída.

TER UMA VIDA DE CÃO

Ter uma vida muito complicada e difícil.

O Sr. Silva tem uma vida de cão: sai de casa às seis da manhã e chega às oito da noite. Vê-se bem que anda de rastos.

TIRAR NABOS DA PÚCARA

Levar alguém a revelar informações que deviam ser mantidas em segredo.

A Carla anda a tentar tirar nabos da púcara para ver se o marido se descai sobre a surpresa que ele está a preparar para o aniversário de casamento deles.

EXPRESSÕES IDÊNTICAS:

Deitar a bisca.
Puxar pela língua [de alguém].

TIRAR O CAVALINHO DA CHUVA

Desistir de um propósito.

O Rodrigo insiste em conquistar a Catarina, mas eu já lhe disse para tirar o cavalinho da chuva.

ORIGEM:

"A origem desta frase remonta à época em que as deslocações se faziam a cavalo. Quando um cavaleiro ou um correio chegava a uma casa ou a uma estalagem, se previa que a demora era pequena, não acondicionava a montada na estrebaria, para não perder tempo. Deixava-a à entrada, eventualmente até debaixo de chuva, para continuar caminho mal tratasse do assunto que ali o levava. Mas, se percebia que se ia demorar, então, optava por ir tirar o cavalo da chuva [...]. A ação de tirar o cavalo da chuva ficou assim associada a uma tarefa que leva mais tempo do que o esperado, acabando por evoluir para a ideia de não ter grande esperança em conseguir os seus intentos."

in *Cuidado com a Língua!*, Oficina do Livro (com supressões)

TRABALHAR COMO UM GALEGO

Trabalhar muito ou fazer trabalhos pesados.

Nestas férias de verão, trabalhei como um galego para juntar dinheiro para comprar uma mota.

ORIGEM:

No século XVIII, a Galiza era uma região mais pobre do que Portugal, por isso havia muitos emigrantes galegos nas cidades portuguesas, que vinham à procura de trabalho. Geralmente, estes faziam os trabalhos mais duros ou menos especializados.

EXPRESSÕES IDÊNTICAS:

Bombar. [Angola]

Suar as estopinhas.

Trabalhar como um mouro.

TRAZER ÁGUA NO BICO

Ter segundas intenções.

Fiquei admirada com o convite da Ana para jantarmos. Isso traz água no bico!

ORIGEM:

"[...] em termos navais, o bico de uma embarcação é, logicamente, a sua proa, usado isoladamente ou, outras vezes, "bico de proa". Assim se designa, realmente, a parte mais avançada de um navio. Ora, quando em linguagem da marinha se diz que se "navega com a água pelo bico", isso quer dizer que se navega contra a corrente, em situação de perigo que não permite prever o que pode suceder, isto é, eventualmente, um golpe traiçoeiro do mar."

in *Dicionário de Expressões Correntes*, Notícias Ed.

EXPRESSÃO IDÊNTICA:

Não dar ponto sem nó.

TREMER COMO VARAS VERDES

Estar muito nervoso ou sentir muito medo.

Nunca vi a Raquel desta maneira. Desde que viu o acidente hoje de manhã que está a tremer como varas verdes. Vou fazer-lhe um chá para ver se se acalma.

EXPRESSÕES IDÊNTICAS:

Suar frio.
Tremer a passarinha. [Açores]

UNTAR AS MÃOS [A ALGUÉM]

Subornar, corromper com dinheiro, presentes ou outros donativos.

A Verónica aceitou a alteração do regulamento proposta pelo administrador do condomínio, porque lhe untaram as mãos. É vergonhoso!

EXPRESSÃO IDÊNTICA:

Dar gasosa. [Angola]

VENDER GATO POR LEBRE

Enganar alguém, vendendo-lhe algo diferente do solicitado, geralmente com qualidade inferior.

Comprei um casaco baratíssimo para o meu filho. Quando cheguei a casa percebi que me tinham vendido gato por lebre: o casaco só tinha uma manga!

ORIGEM:

É do conhecimento geral que as semelhanças que existem entre estes animais, em particular, depois de esfolados, contribuiu para que muitos já tivessem sido enganados e comessem gato por lebre...

EXPRESSÃO IDÊNTICA:

Meter agulhas por alfinetes.

VER-SE GREGO

Ter ou passar por muitas dificuldades.

Vi-me grego para arranjar os bilhetes para o concerto da fadista Mariza. Já estavam esgotados há mais de duas semanas, mas, felizmente, tenho os meus contactos.

ORIGEM:

Há quem diga que esta expressão remonta à Idade Média, altura em que o latim era ainda a língua oficial usada em Portugal, embora poucos o soubessem utilizar e tivesse fama se ser uma língua difícil.

EXPRESSÕES IDÊNTICAS:

Ver bilhas. [Angola]
Ver-se nas de atacar. [Trás-os-Montes]

VIR COM PEZINHOS DE LÃ

Usar um discurso persuasivo para convencer ou cativar alguém.

O meu filho é muito rezingão, mas quando me quer pedir alguma coisa, vem com pezinhos de lã. Eu já o conheço.

EXPRESSÃO IDÊNTICA:

Ser falinhas-mansas.

VISITA DE MÉDICO

Fazer uma visita rápida a alguém.

Ontem, o Arnaldo foi lá a casa, mas fez uma visita de médico. Não esteve lá mais de 15 minutos.

VIVER À GRANDE E À FRANCESA

Viver de forma extravagante, sem preocupações económicas.

Os nossos vizinhos vivem à grande e à francesa. Não percebo como conseguem fazer tantas extravagâncias. Já fez um ano que partiram numa viagem à volta do mundo.

ORIGEM:

A expressão terá a sua origem na época das invasões francesas, altura em que o General Junot ocupou Portugal, sob o comando de Napoleão. Durante a sua estadia, o modo luxuoso como se vestia, bem como as festas pomposas que dava, fizeram com que a sabedoria popular fixasse esta expressão.

EXPRESSÕES IDÊNTICAS:

Ser à mod'amar'icana. [Açores]
Viver à tripa-forra.

BIBLIOGRAFIA

BARCELOS, J. M. Soares, *Dicionário de Falares dos Açores – Vocabulário Regional de Todas as Ilhas*, Coimbra, Livraria Almedina, 2008

BARROS, Vítor Fernando, *Dicionário do Falar de Trás-os-Montes e Alto Douro*, Lisboa, Âncora Editora e Edições Colibri, 2006

BARROS, Vítor Fernando, *Dicionário de Falares do Alentejo*, Porto, Campo das Letras, 2005

CARVALHO, Sérgio Luís de, *Nas Bocas do Mundo*, 1.ª edição, Lisboa, Planeta, 2010

DIAS, Fátima Sequeira, *Dicionário Sentimental da Ilha de São Miguel de A a Z*, 2.ª edição, Ponta Delgada, Publiçor, 2011

HATTON, Barry, *Os Portugueses*, trad. Pedro Vidal, Lisboa, Clube do Autor, 2011

JUNCEDA, Luis, *Diccionario de Refranes, Dichos y Proverbios*, 3.ª edição, Madrid, Espasa Calpe, 2007

MOURA, Ivone de (rec. e org.), *Por Outras Palavras – Dicionário das Frases Idiomáticas Mais Usadas na Língua Portuguesa*, Lisboa, Edições Ledo, 1995

NEVES, Orlando, *Dicionário de Expressões Correntes*, 2.ª edição, Lisboa, Editorial Notícias, 2000

PÓVOA, Alice *et alli*, *As Faces Secretas das Palavras*, 1.ª edição, Porto, ASA, 2005

ROCHA, M.ª Regina de Matos e COSTA, José Mário, *Cuidado Com a Língua!*, 2.ª edição, Alfragide, Oficina do Livro, 2009

SANTOS, António Nogueira, *Novos Dicionários de Expressões Idiomáticas*, Lisboa, Edições João Sá da Costa, 1990

SÍTIOS NA INTERNET

Ciberdúvidas da Língua Portuguesa
http://www.ciberduvidas.com/

Cuidado Com a Língua! - RTP (Arquivo de programas)
http://www.rtp.pt/play/p43/cuidado-com-a-lingua

Dicionário Caldas Aulete da Língua Portuguesa
http://www.aulete.uol.com.br

Diccionario de la Lengua Española de la Real Academia Española
http://www.rae.es

Dicionário Priberam da Língua Portuguesa
http://www.priberam.pt/dlpo/

Infopédia – Enciclopédia e Dicionários Porto Editora
http://www.infopedia.pt/

Rubrica radiofónica *Lugares comuns* (Antena 1)
http://tv1.rtp.pt/programas-rtp/index.php?p_id=3800&e_id=&c_id=1&dif=radio